t dank aan: Adriaan, Alice, Charmaine, Dickie, Dion, Fleur, Gerhard, Ilse, Jennylee,
rcel, Margot, Mattijs, Merel, Mieps, Patricia, Querina, Robert, Sander, Sanne, Saskia,
vie, Tom, Trevor, Wesley, Will, Willem

rspronkelijke titel: *Top 8*
rspronkelijke uitgave: Scholastic Inc., New York
pyright © 2008 Katie Finn
pyright voor het Nederlandse taalgebied © 2009 The House of Books,
nen/Antwerpen

taling: Hanneke van Soest
aslag: marliesvisser.nl
nenwerk: ZetSpiegel, Best

N 978 90 443 2329 0
R 284
2009/8899/46

w.thehouseofbooks.com

Katie Finn

Mijn top 8

the house of books

Voor Amalia
mijn allerbeste vriendin

'My... page is all totally
pimped out, got people
begging for my Top 8 spaces.'
– 'Weird Al' Yankovic

friendverse... for your galaxy of friends

Madison MacDonald
zit in de voorjaarsvakantie op de Galapagoseilanden!

Vrouw
16 jaar oud
Putnam, Connecticut
Verenigde Staten

Status: Gestrikt door Justin

Lied: *Leaving on a Jetplane* – Lenin & McCarthy (cover)
Quote: 'So long, farewell!' – De kinderen Von Trapp

Laatste login: 23/3

Top 8:

Justin

RueRue

Bonjour, Lisse!

Shy Time

Pizzadude

Jimmy&Liz

theatergrrl

Vote4Connor!

Madison MacDonalds blogberichten

Ik ga in de voorjaarsvakantie naar de Galapagoseilanden!

Bedankt dat jullie me tot klassenvoorzitter hebben
gekozen! Ik zal jullie niet teleurstellen!

Sluit je aan bij de club die meneer Underwood van
zijn toupet wil afhelpen

Mijn broer is een Kleine Etterbak

Info over mijzelf

Algemeen:
Ik hou van toneel, reizen, perfecte playlists, M&M's (niet de
blauwe. Waarom zitten die er eigenlijk in?), cola light en
mijn vrienden. Ik kan me niet herinneren ooit een lange
strandwandeling te hebben gemaakt.

Muziek:
Lenin & McCarthy, Stockholm Syndrome, Call Me Kevin,
Tickle-Me Emo, Jason Robert Brown

Films:
Pride and Prejudice (alle versies!), Mean Girls, Clueless,
Bring it on, Some like it hot, Match Point, Grease 2, Break-
fast at Tiffany's

Televisieprogramma's:
Sex and the City, Extreme Makeover, America's Next Top Model

Boeken:
Alles van Jane Austen, Twilight, Sarah Dessen, Maureen Johnson, Tom Stoppard, V.C. Andrews, Joan Didion

Idolen:
Mijn fantastische vrienden! En Oprah

School: Middelbare school
Geslaagd: Nog niet

Vrienden:
349

Reacties
Weergegeven: 21 van 66 reacties

RueRue
Je hebt je status gewijzigd! En ik zie dat je je Top 8 hebt veranderd. Je hebt Justin op één gezet! Dus het is nu officeel aan tussen de tortelduifjes?

Bonjour, Lisse!
Wist je dat tortelduiven in het Frans *les inséparables* worden genoemd?

Shy Time
Was dat geen musical?

Shy Time
O, *Les Misérables*. Thanx, Mad. O mijn god, gefeliciteerd!

Bonjour, Lisse!
Wáár ga je heen? De héle voorjaarsvakantie?

Shy Time
De gala-wattes?

RueRue
De Galapagoseilanden
Uit Wikipedia, de vrije encyclopedie:
De Galapagoseilanden zijn een eilandengroep van vulkanische oorsprong in de Stille Oceaan ter hoogte van de evenaar, op 965 kilometer ten westen van Ecuador (0°N 91°W). De groep bestaat uit dertien eilanden, zes middelgrote eilanden en 107 kleine eilanden.

Bonjour, Lisse!
OMG. Wat een ellende. Wat ga je daar doen? *Pourquoi*?

dudejebenteenplayer
Madison, als het er heet en stoffig is en je moet veel vliegen, dan raad ik je af je kwetsbare laptop mee te nemen. Ik blijf hem niet repareren! Slecht idee dus, tenzij je wíl dat hij kapotgaat. Dat zou een hoop verklaren. – Dell

theatergrrl
Fijne vakantie gewenst. Vergeet je tekst niet te leren voor *De Grote Deen*. Ik ken het al bijna uit mijn hoofd. Het is echt invallerswerk...

Brian (niet Ed) McMahon
Mad, gaaf dat je zaterdag op mijn feest was. Wil je alleen geen foto's meer op je site zetten? Ik ben door het feest in de problemen gekomen en heb liever geen bewijs op internet!

Kittson
Voor de laatste keer, Madison, het thema voor het schoolfeest is niet 'Goud & Stout.' Als voorzitter van de feestcommissie vraag ik je nu eens eindelijk mee te werken aan een compromis. Dinsdag na de vakantie vergaderen we en hakken we de knoop door. Als je er niet bij kunt zijn, word je uit de commissie gezet. Sorry!

Vote4Connor!
Oké, Madison, ik geef het op. Jij hebt gewonnen. Maar de hertelling was nodig om de draad weer te kunnen oppakken. Ik stelde voor een keer samen uit te gaan omdat we nu geen concurrenten meer zijn. Ik kon toch ook niet weten dat je iets met hoe-heet-die-gast-ook-alweer had?

ginger_snap
Hé, Mad, ik heb de schetsen voor je kostuums af! Ze zijn echt helemaal top!

Jimmy&Liz
Fijne vakantie, Mads. We zullen je missen!

Jimmy&Liz
Wij allebei. J

pizzadude
Een vette vakantie gewenst. Lekker even een paar weken geen gebedel om ananaspizza's. ;-)

Bonjour, Lisse!
Au revoir, mon amie! Je me souviendrai de toi!

Shy Time
Kom weer veilig thuis! Vergeet niet dat je geen vloeibare stoffen mag meenemen in het vliegtuig, want dan ben je ze kwijt. Of je wordt gearresteerd! Ik ga je missen!

Justin
Ik wens je een fijne vakantie, Madison. Ik zal je missen. – Justin

RueRue
Niet vergeten: kaarten sturen aan je beste vriendin (ik), zonnebrandcrème, geheugenkaartjes, souvenirs voor je beste vriendin. En bellen zodra je terug bent!

Madison MacDonald is uitgelogd – 23/3 10.40u

1

Lied: *Coming Home* – A New Found Glory
Quote: 'Veel reizen gaan door, lang nadat de bewegingen in tijd en ruimte opgehouden zijn.' – John Steinbeck

'We zijn weer thuis!' riep mijn moeder opgewekt uit toen we in onze SUV langs het bord met WELKOM IN PUTNAM, CONNECTICUT. GESTICHT IN 1655. THUISLAND VAN DE PELGRIM FATHERS reden.

We waren nog zo'n twintig minuten rijden van huis, maar na twee weken vakantie – nota bene op een bóót – kon ik haar sentimentele reactie wel waarderen. We waren met het hele gezin op vakantie geweest naar de Galapagoseilanden, in Ecuador.

Eerlijk gezegd schrok ik best wel toen ik van mijn ouders hoorde waar we heen gingen. Ik bedoel maar, Ecuador? In de voorjaarsvakantie? Wie gaat er dan in vredesnaam naar Ecúádor? De Ecuadorianen even niet meegerekend, want die wonen er natuurlijk al.

Maar de eilanden zijn fantastisch. Er woont geen mens en ze zijn beroemd omdat Darwin er onderzoek heeft gedaan

13

naar die vinkensnavels, wat hem deed inzien dat er zoiets als evolutie bestaat.

We logeerden met nog ongeveer twintig andere toeristen – waaronder een best leuke jongen van mijn leeftijd – op een kleine boot en voeren overdag naar de eilanden, die we dan verkenden en waar we ontelbare foto's maakten van de dieren. Tegen de avond gingen we dan weer terug naar de boot om ongezond te eten en te slapen.

De dieren op de eilanden waren helemaal niet bang, dus we konden heel dicht bij de pinguïns, zeeleeuwen en schildpadden komen. Dat was eigenlijk best wel leuk.

Maar.

Het nadeel was dat ik de hele dag op de lip zat van mijn dertienjarige broertje Travis, onze Kleine Etterbak, die op dit moment constant tegen mijn enkel zit te schoppen.

'Ja, gelukkig zijn we weer thuis,' zei ik terwijl ik hem terugschopte en door het raampje naar de bloeiende lentebloemen op de heuvels keek.

'Vond je het niet leuk dan, Madison?' vroeg mijn moeder. Ze draaide zich om in de passagiersstoel en keek me aan. Mijn vader zag zijn kans schoon de radio van het financiële kanaal, dat mijn moeder had opgezet, op de sportzender te zetten.

'Sean!' mopperde mijn moeder, zich naar hem toe draaiend.

'Ik wil de uitslagen horen, Laura,' zei mijn vader. 'Travis!' riep hij naar mijn broer, die sinds we van het vliegveld waren vertrokken niet meer had opgekeken van zijn Playstation. 'Schrijf jij ze op?'

'Ik kan je niet horen, pap,' zei Travis. Maar dat was natuurlijk gelogen, want anders had hij toch ook niet kunnen horen dat mijn vader hem iets vroeg?

'Ik moet de aandelenkoersen volgen,' zei mijn moeder. Ze

zette de radio weer op het financiële kanaal. 'Trav, schrijf jij op wat de Dow Jones vandaag gedaan heeft?'

'Nou ja,' zei ik nadrukkelijk, om mijn moeder eraan te herinneren dat ze me iets had gevraagd, 'ik vond de Galapagoseilanden wel mooi, maar...'

'Ze miste haar vriendje,' vulde Travis pesterig aan. Toen mijn ouders zich tegelijk naar hem omdraaiden, besefte hij dat ze zijn smoes dat hij niets hoorde, omdat hij zijn koptelefoon op had, doorzagen. 'Wreed,' mompelde hij.

'Travis, de Dow...'

'De score van de Braves...'

'Ik miste mijn vríénden,' verbeterde ik mijn broer. Maar mijn ouders luisterden al niet meer en stortten zich op de radio, dus ik stak mijn tong naar hem uit en keek weer uit het raampje. Ik kon niet wachten tot ik thuis was... ik miste mijn laptop en mijn mobiele telefoon en snakte naar contact met de buitenwereld.

Ik was twee weken niet online geweest en had genoeg van het vrijwillig Amishje spelen. Op de boot had ik alleen kunnen internetten op een heel oude computer, waar je nog voor moest betalen ook. Nota bene, een dollar per minuut! Op zich geen probleem natuurlijk, als dat stenen-tijdperkmodem er geen vijf minuten over zou doen om verbinding te krijgen. En tot overmaat van ramp deden de Blackberries van mijn ouders het ook niet.

Tot mijn verbazing had onze Kleine Etterbak – sorry, ik wil mijn ouders niet beledigen, maar ja – het grootste deel van zijn tijd in de internetruimte gezeten, tot ergernis van de zakenmannen die belangrijke deals moesten sluiten terwijl hij waarschijnlijk alleen maar een honkbalspel zat te spelen. Ik had het nogal vreemd gevonden dat hij zoveel geld wilde uitgeven aan

15

dat trage internet, want meestal zat hij als een soort Scrooge boven op zijn geld.

Het was dat ik souvenirs voor mijn vrienden had moeten kopen, anders had ik ook wel willen betalen om te kunnen internetten. Maar de cadeautjes die ik had gekocht waren perfect: een knikkend Charles-Darwinpoppetje voor mijn beste vriendin Ruth Miller, een draagtas met *J'Adore Ecuador!* voor mijn francofiele vriendin Lisa Feldman en een knuffel van een Galapagosvogel, de blauwpotige jan-van-gent, voor mijn vriendin Schuyler Watson.

Waar ik het langst over heb getwijfeld was het cadeautje voor Justin Williamson, met wie ik nu al zeventien dagen verkering heb (de twee weken vakantie niet meegerekend). Uiteindelijk heb ik twee houtgesneden zeeschildpadjes gekocht. Het idee is dat we er allebei een nemen, want schildpadden paren hun hele leven met dezelfde partner. En ik weet zeker dat Justin begrijpt wat dat betekent, ook al hebben we het nog niet gedaan. Gepaard, bedoel ik. Maar goed, ik was blij dat ik souvenirs had gekocht en geen zestig dollar had uitgegeven om mijn e-mail te checken.

Tegen de tijd dat mijn ouders eindelijk een wapenstilstand sloten, reden we onze lange, slingerende oprit op.

'Hè hè, eindelijk!' verzuchtte Travis. Voor de verandering zei hij eens iets wat ik zelf ook dacht.

'Ben je wagenziek, lieverd?' vroeg mijn moeder.

'Och, arme Trav,' zei ik. 'Ben je een beetje misselijk?'

'Ja,' mompelde hij. 'Van jou.'

'Insgelijks,' zei ik, en ik gaf hem een verdiende stomp.

'Mam!' gilde de Kleine Etterbak.

'Jongens!' waarschuwde ze, de garage in rijdend. 'Ik hoop dat jullie je morgenavond tijdens het eten beter gedragen.'

Dat was een rare opmerking. Want wat was er zo bijzonder aan morgenavond? Alsof we ons vanavond aan tafel wél mochten misdragen. Maar ja, mijn moeder was hoofd Financiële Zaken bij de Pelgrim Bank en was meestal met haar gedachten elders, omdat ze zich afvroeg hoe de baht het deed of maar twee uur had geslapen omdat ze midden in de nacht was opgestaan om de beurs van Tokio te volgen.

'Tuurlijk,' zei ik terwijl ik uit de auto stapte. Ik pakte mijn tasje en liep naar de voordeur. 'Geen probleem.'

'Vergeet jullie koffers niet,' riep ze terwijl ik de trap naar de voordeur op liep, waar mijn vader zojuist het alarm had uitgeschakeld.

Mijn koffer kon wachten. Ik moest eerst mijn voicemail, Gmail en e-mail van school checken en, het belangrijkste van alles, mijn Friendverse-profiel bijwerken.

Friendverse was cruciaal. Friendverse was volgens Lisa de nieuwste trend. Al mijn kennissen zaten er al sinds het begin van het schooljaar op. Voor die tijd zat iedereen op Facebook, en dáárvoor op MySpace. Het gerucht ging dat de nieuwste profielensite nog beter was dan Friendverse, maar omdat de site Zyzzx heette en niemand wist hoe je het uitsprak, werd er nog niet veel over gepraat. Maar op dit moment kon ik niet zonder Friendverse.

Ik wist uit ervaring dat mijn vader mijn koffer naar mijn kamer zou brengen als ik maar lang genoeg treuzelde. Hij was sportjournalist bij de *Putnam Post* en zat meestal thuis op zijn werkkamer te schrijven. Ik wist dat mijn rondzwervende koffer op een gegeven moment op zijn zenuwen zou gaan werken. Hij beschouwde ons huis als zijn domein – of thuishonk, zoals hij het noemde.

Pas ergens in groep drie drong het tot me door dat de vaders van andere kinderen niet de hele dag thuis waren en broodjes met banaan-pindakaas smeerden of uitweidden over de slagvolgorde van de '34 Giants.

Wat ik jammer voor hen vond. Want als er íémand lekkere broodjes banaan-pindakaas kon – nee, kán – maken, dan is het mijn vader.

'Madison, koffer!' riep mijn vader toen ik met mijn moeder naar binnen liep. Ik hoorde de telefoon overgaan, en mijn moeder holde erheen om op te nemen.

'Straks, oké?' riep ik terug, met één voet al op de trap. Ik moest eerst mijn profiel checken.

Mijn vader schudde zijn hoofd. 'Ik help je wel dragen, Madison, maar ik doe het niet alleen.'

Shit. Dat was nou net de bedoeling.

'Ik zou het maar meteen doen,' zei hij. 'Of wil je soms dat je broer weer in je koffer gaat snuffelen?'

Meer hoefde hij niet te zeggen. Vorig jaar had ik mijn koffer een tijdje in de hal laten staan nadat we van onze vakantie in Spanje waren thuisgekomen – oké, twee weken. Hij was loodzwaar. Ik haalde er steeds alleen uit wat ik nodig had, zodat hij lekker licht zou worden en ik hem makkelijk naar mijn kamer zou kunnen dragen. Maar toen had Travis mijn beha dus uit mijn koffer gepikt en gebruikt voor zijn handvaardigheidsproject 'Ground Control to Major Travis', als basis voor zijn ruimtestation, of wat het ook moest voorstellen. De leraar had niet eens gemerkt dat het een beha was – een gestolen beha nog wel – en had het project ingestuurd voor de landelijke competitie, waarmee Travis de derde prijs had gewonnen.

Natuurlijk weten Travis' vrienden dat het mijn – toegegeven, gevulde – beha is die nog altijd in de prijzenkast van de Putnam Middle School te bewonderen is. Dat is ook de reden dat ik erg populair ben bij Travis op school en iedereen me wil zien als ik hem kom ophalen.

Ik pakte mijn koffer aan de bovenkant vast, mijn vader aan de onderkant. Ik hoorde mijn moeder enthousiast telefoneren in de keuken, met het lage gebrom van de financiële zender op de achtergrond.

'Oef,' zei mijn vader, strompelend onder het gewicht van de koffer. 'Wat zit erin? Je weet toch dat het verboden is stenen het land uit te smokkelen, hè?'

'Gewoon mijn spullen en wat souvenirs,' zei ik. We sleepten de koffer tree voor tree naar boven.

'Snap jij dat nou van je moeder?' vroeg mijn vader toen we even op adem stonden te komen. 'We hebben die mensen vanmorgen gedag gezegd en nu wil ze alweer dat ze morgenavond komen eten.'

'Tja,' mompelde ik afwezig. Ik was met mijn gedachten bij mijn laptop en wilde zo snel mogelijk mijn programma's opstarten.

'Ik bedoel, snapt ze dan niet dat we niet elke avond zin hebben in al die golfverhalen?'

Ik had geen flauw idee waar mijn vader het over had, en eerlijk gezegd interesseerde het me ook niet. Hoe eerder ik mijn koffer op mijn kamer had, hoe eerder ik mobiel kon bellen en internetten, en eindelijk weer contact had met de buitenwereld.

'Zo,' zei mijn vader. Hij sleepte mijn koffer de laatste meters naar mijn kamer en zette hem op het kleed. Toen greep hij naar zijn rug. 'Hier zal mijn chiropractor wel weer rijk van worden.'

'Ach,' zei Travis met een teleurgesteld gezicht. Hij keek vanuit de deuropening de kamer in. 'Ik wist niet dat je je koffer al zo snel naar boven zou brengen. Ik wilde, eh, je helpen.'

'Wegwezen!' schreeuwde ik.

'Schreeuw niet zo tegen je broer,' zei mijn vader afwezig. Omdat hij net een rugoefening aan het doen was, zag hij niet dat Travis een grof gebaar naar me maakte voordat hij ervandoor ging. Alsof ik hem weer mijn ondergoed zou moeten gunnen voor zijn handvaardigheidsproject. Dacht het toch niet.

Terwijl mijn vader wegstrompelde en op zoek ging naar een warmtekompres, sloot ik mijn slaapkamerdeur en keek glimlachend om me heen. Ik was weer thuis.

Het had me drie jaar gekost, maar eindelijk had ik mijn kamer precies zoals ik hem hebben wilde. Het had heel wat geruzie met mijn moeder opgeleverd, omdat zij het liefste had dat ik voor 'iets met neutrale tinten' zou kiezen. Maar uiteindelijk had ik mijn zin gekregen, en nu was alles perfect. Veel roze en groen, en een wand van kurk, zodat het één groot prikbord was geworden. Hoewel mijn kamer een beetje rommelig was, kon ik altijd alles terugvinden, dus ik snapte niet waar Gabby, onze werkster, altijd over zeurde.

Op mijn bureau lagen stapels onafgemaakt huiswerk, universiteitsgidsen – mijn moeder wilde dat ik naar Vassar College ging, mijn vader gaf de voorkeur aan de universiteit van Michigan (waarschijnlijk omdat hij dan goede plaatsen voor de thuiswedstrijden kon krijgen) – en talloze torens detectiveromans: Agatha Christie, Sherlock Holmes, John D. MacDonald, Dashiell Hammett. Mijn leraar Engels, meneer Underwood, gaf ze al het hele semester op en tot mijn eigen verbazing was ik eraan verslaafd geraakt.

Mijn kamer hing vol met posters van schooltoneelstukken

waarin ik had gespeeld. Het gewone werk: *De zeemeeuw* (vierde klas, mijn eerste hoofdrol. Ik kreeg de rol van Nina, na een vreselijke auditiestrijd tussen Sarah Donner en mij; ze werd mijn invaller), *Wacht tot het donker is* (afgelopen winter had ik Sarah verslagen voor de hoofdrol van Suzy. Het ging zo dramatisch slecht tijdens het laatste optreden dat ik er liever niet meer aan terugdacht), *Noises Off!* (afgelopen herfst; de rol van Belinda, die ik dolgraag wilde, ging naar Sarah. Vandaar dat ik Brooke moest spelen, die het grootste deel van het stuk in haar ondergoed rondloopt), en *Romeo en Julia* (winter, vierde klas; ik heb Julia gespeeld, Sarah was mijn invaller).

Verder hingen er ook nog posters van de jaarlijkse musical, wat altijd bewerkingen waren van het origineel: in de derde klas *Het muzikale dagboek van Anne Frank* en, afgelopen jaar, *Willy! Dood van een muzikale handelsreiziger.* Toen ik op mijn bed ging liggen en het script van de musical van dit jaar onder ogen kreeg – *De Grote Deen: De muzikale tragedie van Hamlet* – voelde ik me plots schuldig dat ik mijn tekst niet had meegenomen op vakantie. We moesten onze tekst na de vakantie zonder tekstboek kunnen opzeggen, en ik wist dat Sarah – die dit jaar weer mijn invalster was – me heel irritant zou verbeteren als ik niet op een zin zou kunnen komen.

Mijn prikbordmuur hing vol foto's van mezelf en mijn vrienden: Ruth en ik in groep vijf (het jaar dat ik van Boston naar Putnam was verhuisd en we beste vriendinnen werden), Ruth en ik helemaal opgedirkt voor het Winterbal; foto's van mij, Schuyler en Ruth tijdens een voorlichtingsmiddag Frans waar Lisa ons vorige maand mee naartoe had gesleept en waar we verveeld op staan; Shy en Ruth met hun KIES VOOR KLASSE, STEM MAD!-buttons voor de klassenvoorzitterverkiezingen van afgelopen maand; Lisa met haar vriendje, Dave Gold, gekke bekken trekkend naar de camera; Jimmy Arnett en Liz Franklin, het stel in onze klas, met hun armen om elkaar heen geslagen (zoals altijd); een aantal zwaar bewogen foto's van het laatste feest van mijn labmaatje Brian McMahon; en de voorpagina van de *Putnam Pelgrim* met de uitslag van de idiote hertelling die Connor Atkins had geëist toen ik hem – voor de tweede keer – had verslagen met de klassenvoorzitterverkiezingen.

Op mijn nachtkastje lag een stapel foto's van het lentecarnaval, die net voordat ik op vakantie ging waren gemaakt en waar ik overal alleen met Justin op sta. Heel snoezig, zo samen. Op een aantal foto's knippert hij net met zijn ogen of kijkt hij weg, maar daar kan ik niet mee zitten, want hij staat er evengoed geweldig op.

Ik pakte mijn mobiele telefoon van mijn bed en zette hem aan. Ik moest nodig Justin bellen. Maar het rode batterij-icoontje lichtte op en ik kreeg geen verbinding. Ik kreunde. Ik herinnerde me dat ik mijn mobiel had thuisgelaten omdat de batterij leeg was en ik hem toch alleen maar in de auto van en naar het vliegveld kon gebruiken, maar dat ik was vergeten hem op te laden. Ik legde hem aan de lader en plofte neer op mijn bed.

Ik schoof de stapel kleren opzij die ik voor de vakantie op het laatste moment uit mijn koffer had gegooid en startte mijn laptop op. Omdat mijn computer voor de vakantie kuren had vertoond, tikte ik heel voorzichtig mijn wachtwoord – madmacdonaldsmac – in.

Frank Dell, of Dell, zoals hij genoemd wil worden – toen ik hem leerde kennen, zei hij: 'Ik ben Frank Dell, maar laat dat Frank maar weg', wat ik eigenlijk best wel raar vind klinken – had mijn laptop net voor de vakantie gerepareerd. Hij is de computerexpert van onze school en een stuk goedkoper dan de computerwinkel in de stad.

Ik had zelf voor de reparatie van mijn laptop moeten zorgen omdat ik hem had opgepimpt en roze had gespoten. Mijn moeder was daar absoluut niet blij mee geweest, en omdat ze ervan overtuigd was dat de verf mijn computer had aangetast, moest ik zelf voor de kosten opdraaien. Travis had me aangeboden geld te lenen – tegen een rente van eenentwintig procent – maar ik had liever op Dell gegokt. Sinds hij hem echter weer aan de praat had gekregen (alleen de letter q doet het niet meer), ben ik als de dood dat hij door een onverwachte beweging op tilt slaat. Want als ik ergens niet tegen kan, is het tegen een zwart scherm.

Ik ging online en riep Friendverse op. Ik wist precies wat ik te zien zou krijgen: mijn pagina, die ik net voor mijn vertrek had opgefleurd met een leuke gestreepte achtergrond; al mijn gegevens; mijn Top 8, in volgorde van belangrijkheid: Justin, Ruth, Lisa, Schuyler, Dave, Jimmy & Liz, Sarah Donner en Connor Atkins. Eerlijk gezegd had ik Connor alleen op acht gezet omdat ik dat wel goed vond staan tijdens de verkiezingscampagne, en Sarah op zeven omdat er spanningen waren ontstaan sinds de castlijst bekend was. Maar ik vond het nu wel mooi geweest en nam me voor hen er zo snel mogelijk uit te halen.

Ik popelde om mijn profiel te zien, de nieuwe reacties die ik had ontvangen, de nieuwe vriendenverzoeken en wat er zoal op de profielen van mijn vrienden was veranderd. Ik tikte mijn Friendverse-wachtwoord in – hetzelfde als mijn opstartwachtwoord, maar dan met een uitroepteken – en wachtte totdat ik was ingelogd.

Ik rekte me uit en keek mijn kamer rond. Ik was blij dat ik

weer thuis was en keek glimlachend naar de foto's van mijn vrienden. Het leven was mooi.

Toen ik was ingelogd, klikte ik op mijn Friendverse-profiel. En slaakte een gil.

2

Ik staarde verbijsterd naar mijn Friendverse-profiel.

Nu begreep ik waar het cliché vandaan komt dat mensen in
hun arm knijpen om zich ervan te vergewissen dat ze niet dro-
men. Ik keek namelijk naar de tekst en de beelden op mijn
scherm, maar had het gevoel dat het niet echt gebeurde.

Er móést een andere verklaring zijn. Dit kon niet waar zijn.

friendverse... *for your galaxy of friends*

Madison mcDonald
is zo dronken als een tor!

Vrouw
16 jaar oud
Putnam, Connekticut
Verenigde Staten

Status: Single

Lied: *Ice, Ice Baby* – Vanilla Ice
Quote: 'Een veest is geen veest als
Mad niet is geweest!' – ikke

Laatste login: 5/4

Top 8:

Vote4Connor!

Yannifans4ever!

pizzadude

battlestarfreak

hartsgeheimen!

kakkerrobb

Neil Diamond

autoalarm-
verslaafde

Madison mcDonalds blogberichten

geniet maar van mijn kiekjes

alles over brian mcmahons veest

'zeilongelukjes' en andere neuscorrecties

single... dat wil ik zijn en blijven!

zomaar ineens emo

jimmy&liz: niet zo'n perfect stel als ze lijken

Info over mezelf
*) alle verhalen zijn waar!!!!

Algemeen:
hangen met vriend(en)!, macramé, scrapbooks, mijn speling verbeten, puppy's

Muziek:
Yanni, Loavesnfishes, Neil Diamond, Britney4fever!!!!!!

Films:
Dora's Big Adventure, Striptease

Televisieprogramma's:
Touched by an Angel, Pimp My Ride

Boeken:
Ik kan niet lesen

Idolen:
Billy Idol!

Doelen:
Een sudoku af krijgen

School: Middelbare school
Geslaagd: als Pasen en Pinksteren op één dag vallen!

Vrienden:
11 vrienden

Reacties
Weergegeven: 18 van 75 reacties

Justin
Hé, Madison, ik hoop dat je het leuk hebt daar. Mis je! – Justin

RueRue
Ik zag dat je vandaag online was. Dan moet er dus internet op de boot zijn! Laat me weten hoe het gaat!

theatergrrl
Hoop dat je je tekst al kent!

Shy Time
Mad, wat is er met je foto's? Ze zijn niet echt, eh, flatteus. Heb je soms te lang in de zon gezeten?

Bonjour, Lisse!
Oké, dat bericht dat je voor mij hebt achtergelaten was *un peu* hatelijk. Grrr. Of is de Ecuador-Madison gemener dan de Putnam-Madison?

Jimmy&Liz
Hoe kon je die foto in je album zetten? Je had gezegd dat je 'm zou verwijderen, want ik was nogal in de war toen die foto werd genomen. Jimmy begrijpt er niets van en is helemaal van de kaart. Haal hem eraf, oké?

Jimmy&Liz
Dit was Liz, by the way

Justin
Madison, ik begrijp je berichtje niet. Wil je het uit-maken? Waarom? – Justin

RueRue
Mad, ik heb je bericht verwijderd. We zijn te lang vriendinnen om dit... laten we het er maar over hebben als je weer terug bent, oké?

Bonjour, Lisse
Wat moet dat met die profielfoto waarop je prak-tisch staat te zoenen met Dave? Wat heeft die bijna-

kus te betekenen? Dit is niet leuk, Madison! Ik meen het!

pizzadude
Dude, waar ben je mee bezig? Ik ben inmiddels aan één kant doof, want Lisa staat me al een eeuw in mijn oor te schreeuwen. Ze is laaiend. En hou op met van die rare flirterige berichtjes te sturen. We zijn bevriend, maar meer ook niet, oké?

Shy Time
Hoe kon je iedereen over mijn neuscorrectie, ik be-doel zeilongelukje, vertellen? Je hebt het niet alleen op het bulletin gezet maar ook in je blog! En dan ook nog foto's erop zetten! Zoiets gemeens heeft nog nooit iemand over me gezegd! Verwijder alles meteen, oké?

Brian (niet Ed) McMahon
Madison, wil je alsjeblieft ophouden met bloggen over mijn 'wilde' feesten en het plaatsen van foto's? Mijn vader checkt mijn Friendverse en begint vervelende vragen te stellen.

Kittson
Ik vind het nogal ongepast voor iemand van de feestcommissie om dit soort taal uit te slaan in je blog. En je toon staat me ook niet aan. Er wordt over je lidmaatschap beraad. En hoezo mijn 'super-sneue leiderskwaliteiten?'

Justin

Als je het wilt uitmaken, prima. Maar je hoeft nu ook weer niet in je blog van de daken te schreeuwen dat je blij bent van me verlost te zijn. Ik snap het zo ook wel. Het is uit. – Justin

Vote4Connor!

Wauw, Mad, dat lijkt me gaaf. Laten we meteen afspreken als je terug bent, oké? ;)

Jimmy&Liz

Mad, we zijn al zo lang bevriend. Waarom schrijf je dan over die enorme vergissing die ik op het zomer-kamp heb begaan? Je had gezworen het tegen niemand te zeggen. Nou, daar valt bloggen dan zeker niet onder. Je wordt bedankt, Madison.

Jimmy&Liz

En dit was Jimmy. Je kunt de boom in.

Mijn mond zakte open. Ik begreep er niks van.

Ik... begreep er echt niks van.

Had ik per ongeluk ingelogd op een verkeerd profiel?

Ik zette mijn computer uit en wachtte een paar seconden. Het zweet brak me uit en ik had het gevoel dat ik een bow-lingbal had ingeslikt. Ik startte mijn computer opnieuw op – verder ging mijn computerinzicht niet – en hoopte vurig dat ik het profiel met mijn (fout gespelde) naam had gedroomd en alles weer was zoals voor de vakantie.

Ik logde opnieuw in op Friendverse en kreunde. Het profiel

was er nog steeds. Het bestond dus echt en was geen hallucinatie als gevolg van een of andere zeldzame Ecuadoriaanse eilandkoorts.

Maar hoe was dit in godsnaam mogelijk? Ikzelf zou dit soort dingen nooit in mijn profiel zetten, en mijn eigen naam spellen kon ik ook nog wel.

Plus dat ik twee weken niet online was geweest. Twee weken!

Ik staarde naar het scherm. Mijn ogen brandden. Ik was niet online geweest... maar iemand anders kennelijk wel.

Iemand die deed alsof hij mij was.

Maar wie?

Ik keek naar de spelfouten, de vreselijke muziekkeuze en de boze commentaren van mijn vrienden. Het moest iemand zijn die me te pakken wilde nemen, en zo te zien was dat behoorlijk gelukt.

Of zou het een grap zijn? Maar dan was het wel een grap die niemand begreep. Dat zat me eigenlijk nog het meest dwars. Ik bedoel, kenden mijn vrienden me zo slecht? Ze zouden toch moeten weten dat ik nooit naar Yanni zou luisteren, laat staan hem als mijn vriend zou toevoegen.

Mijn ogen vlogen heen en weer tussen Justins reacties, mijn status als 'single' en de blogingang. Ik wilde helemaal niet single zijn, en ook niet dat het uit was met Justin.

'O god,' mompelde ik terwijl het aangerichte bloedbad langzaam tot me doordrong.

Mijn profielfoto was rampzalig. Ik kende de foto niet, maar hij moest zijn genomen op Brians laatste feest. Ik keek met gesloten ogen grijnzend in de camera, alsof ik elk moment moest niezen.

Zo lelijk had ik nog nooit op een foto gestaan. En ik had

heel wat lelijke foto's van mezelf gezien, vooral in de tijd dat Lisa een fotografiemanie had en voortdurend 'spontane' kiekjes wilde maken. Dan riep ze: 'Let maar niet op mij! Ik ben er niet! Nu naar links kijken. Kijk eens verdrietig. Nee, fronsen. Frónsen. Ja, goed zo!'

Deze foto was erger dan die hele serie bij elkaar. Ik scrolde omlaag, zodat ik hem niet meer kon zien, en klikte op de profielen van mijn vrienden. Maar telkens verscheen er een mededeling die zei dat de profielen privé waren en ik er geen toegang toe had. Mijn vrienden hadden me geblokt!

Zo te zien was ik nog steeds bevriend met Ruth, Schuyler en Lisa (goddank) en met Connor Atkins (helaas). Maar alleen op Ruths profiel stond ik nog in de Top 8. Nu pas besefte ik hoe ernstig de situatie was. Mijn vrienden en ik namen onze Top 8 bloedserieus. Toen ik Justin op één had gezet, was dat ingeslagen als een bom, en toen Schuyler Ruth boven Lisa had geplaatst, hadden Lisa en Schuyler een week niet met elkaar gesproken. Bovendien was de vriendschap tussen Lisa en Dave overgegaan in verkering toen ze hem op één in haar Top 8 had gezet.

Ik probeerde weer op Justins pagina te komen. Hij had een nieuwe profielfoto, waar hij erg leuk op stond, hoewel hij iets te veel naar links keek. Naast de foto stond de afgrijselijke tekst: *Dit profiel is privé. De gebruiker moet je als vriend(in) aangemerkt hebben wil je het profiel kunnen bekijken.*

Maar ik wás een van zijn vrienden. Ik was zijn vriendín! Nou ja, geweest. Ik wilde hem net een berichtje sturen om het uit te leggen – mijn mobiel was nog aan het opladen – toen mijn iChat pingde. Het was Schuyler. Even later verscheen ze met een boos gezicht en over elkaar gevouwen armen op mijn scherm.

'Shy!' zei ik. 'Wat ben ik blij dat je online bent. Er is iets heel geks gebeurd. Ik logde in op Friendverse en...'

'Ben je weer thuis?' vroeg ze vinnig.

'Ja,' antwoordde ik. 'Net. Maar ik kan niet...'

'Kom over twintig minuten naar ons toe. We zitten in Stubbs,' zei ze. Stubbs is de plaatselijke koffieketen waar ik altijd rondhang met vrienden.

Schuyler kreeg rode vlekken in haar gezicht. Dat gebeurde altijd als ze boos was maar het niet wilde laten merken. We zeiden tegen haar dat ze beter gewoon boos kon worden, omdat we het toch zagen, en dan zou ze tenminste geen vlekken in haar gezicht krijgen. Blijkbaar wenste ze ons advies niet op te volgen.

'Shy...' begon ik weer, maar voor ik het wist was ze uitgelogd en zat ik tegen mijn computer te praten.

Schuyler was boos. Dat kon ik aan haar gezicht zien. Ik scrolde naar haar reacties en las hoe gekwetst ze was. Ik had haar inderdaad beloofd niemand over haar neuscorrectie te vertellen. Maar tegen zoveel mensen had ik het niet gezegd. Alleen tegen Ruth en Lisa, en misschien nog tegen een paar mensen van toneel en zo. Maar het ging om een neuscorrectie, dus dat zou iedereen toch zijn opgevallen.

Niet dat ik achter andermans rug om klets, en het is zeker niet kwaad bedoeld. *Pas du tout*, zou Lisa zeggen. Het is gewoon... een manier om informatie door te geven. Een bericht de wereld in brengen. Een publieke dienst, zo je wil. Een soort journaal.

En dat hoeft ook helemaal niet nadelig uit te pakken. Zo hebben Jimmy en Liz elkaar gevonden, lang geleden in groep 7, toen ik als tussenpersoon briefjes en lolly's van de een naar de ander overbracht. En toen ze in de brugklas een tijdje ruzie hadden, is het door mij weer goed gekomen omdat ik Jimmy en Liz vertelde wat de ander zei en dacht.

Ik heb ook geen reputatie van roddelaar, anders dan Marilee Suarez, de grootste roddelaarster van school. Die kan niets voor zich houden en daarom vertelt niemand haar nog iets. Maar ik ben anders. Ik ben gewoon geïnteresseerd in het leven van andere mensen. Zoals Margaret Mead.

Evengoed vond ik het vreselijk dat mijn kraker – wie het ook was – Schuylers neuscorrectie had rondgebazuind.

Omdat Schuyler 'ons' had gezegd, ging ik ervan uit dat Ruth en Lisa er ook zouden zijn. Ik was blij dat ik hen alle drie kon uitleggen wat er was gebeurd en wilde horen wat zij ervan vonden. Ik pakte de zak met souvenirs. Als ze allemaal zo boos waren als Schuyler, kon het geen kwaad een paar cadeautjes mee te nemen.

Ik haalde mijn vakantiespullen – zonnebrandcrème, muggenspray, paspoort, mijn pocketboekje Spaans – uit mijn tas, want die had ik toch niet nodig in Stubbs, stopte mijn lipgloss erin en haalde mijn mobieltje van de lader. Hij was nog niet helemaal opgeladen, maar voldoende voor noodgevallen.

Ik was al bijna bij de deur toen ik besefte dat ik was vergeten mijn profiel te veranderen. Ik had te weinig tijd om alle leugens te verwijderen en mijn pagina in oude staat te herstellen, maar kon er wel voor zorgen dat de kraker niet nog meer ellende kon aanrichten. Ik ging via mijn menu naar 'instellingen' en klikte op 'wachtwoord wijzigen'. Degene die mijn profiel had gekraakt, moest mijn wachtwoord, MADMACDONALDSMAC!, hebben geraden. Ik had gedacht dat dat moeilijk zou zijn, maar blijkbaar lag het toch te veel voor de hand.

Ik veranderde mijn wachtwoord in IKHAATKRAKERS!!, mijn schermnaam in NEGEER AJB DIT PROFIEL, IK BEN GEKRAAKT!

en ging naar de keuken, waar mijn moeder gebiologeerd de aandelenkoersen op de televisie volgde.

'Hoi, mam,' zei ik zacht. Als ze voor de televisie zat, greep ik altijd meteen mijn kans. Ze was dan zo verdiept in de koerswijzingen dat ik haar bijna alles kon vragen. Zo heeft ze me een keer toestemming gegeven voor een navelpiercing, een nieuwe mobiele telefoon toen ik mijn oude te saai vond hoewel het contract nog niet was verlopen en een weekendhuisarrest van één dag.

'Mmm,' zei ze terwijl ze aantekeningen maakte in een blocnote.

'Ik ga naar Stubbs, maar ik ben op tijd thuis voor het eten.'

'Mmm,' zei ze weer, nog steeds met haar blik op de televisie gericht.

'Oké, tot straks,' zei ik. Ik liep stilletjes achterwaarts de keuken uit, glipte weg door de achterdeur en struikelde bijna over Travis, die met zijn Playstation op de trap naar de garage zat.

'Kijk toch uit,' snauwde ik terwijl ik doorliep naar mijn auto, een groene Jetta genaamd Judy. Officieel heette hij Judy Jettason, maar zo mocht ik hem van mijn vrienden niet noemen in het openbaar, want dat vonden ze suf.

'Nog iets interessants gelezen op je laptop?' vroeg Travis. Ik keek hem aan. Hij grijnsde naar me.

'Wat?' zei ik. 'Waar heb je het over? Ik heb haast.'

'Ik vroeg me af of je... veel interessante e-mails had enzo. Meer niet.' Hij ging verder met zombies opblazen, of wat hij ook aan het doen was op zijn Playstation.

Ik rolde met mijn ogen, stapte in mijn auto en reed naar Stubbs.

3

Terwijl ik de stad door reed, probeerde ik te bedenken wie me had gekraakt en waarom iemand me kwaad zou willen doen.

Op school was ik bevriend met veel verschillende mensen – leden van de toneelclub, klasgenoten, Brian en zijn vrienden – maar ik kon niemand bedenken die nog een appeltje met mij te schillen had. Niet dat er nooit eerder computers van leerlingen waren gekraakt, maar ik had nog nooit gehoord dat het op zo'n persoonlijke manier was gedaan. Meestal verdachten we warenhuis Macy's ervan, die kortingspassen aan de man wilde brengen, of meisjes als Brandee, die iedereen hun sexy foto's wilden laten zien.

Terwijl ik voor een stoplicht wachtte, besefte ik dat ik door alle ellende was vergeten mijn voicemail te checken. Ik zocht in mijn tas naar mijn mobiel. Ik was dol op mijn telefoon, die ik meteen na aankoop roze had geverfd, wat volgens mijn moeder de reden was dat hij zo nu en dan flink kraakte.

37

Zo te zien had ik genoeg batterijcapaciteit om mijn voice-mail te bellen. Ik zette mijn telefoon aan en keek om me heen of ik nergens politie zag. In Connecticut bestond sinds kort een wet die bellen in de auto verbood. Sindsdien was Schuyler compleet gestrest, want ze vergat steeds dat het niet mocht. Pas als ze onder het rijden aan het bellen was en een sirene hoor-de, dacht ze er weer aan, en dan gooide ze in paniek haar mo-biel uit het raampje, bang dat de politie het had gezien. Zo was ze al minstens drie telefoons kwijtgeraakt. Uit voorzorg had haar vader toen maar meteen een paar zilveren Razrs tegelijk gekocht.

Mijn voicemail-icoontje lichtte op. Ik liet me onderuit zak-ken in mijn stoel, belde het nummer en vernam dat ik drieën-veertig nieuwe voicemails had. Een uur eerder zou ik daar dol-blij mee zijn geweest, maar nu kon ik op mijn vingers natellen wat de reden van al die telefoontjes was. En inderdaad, de eer-ste was van een verward klinkende Liz. Met een zucht klapte ik mijn telefoon dicht en parkeerde mijn auto voor Stubbs.

Het Stubbs-logo – een ruige zeeman met een beker koffie in zijn hand en een walvisstaart als een aura om zijn hoofd – was verlicht en door de glazen pui kon ik mijn drie beste vrien-dinnen zien zitten. Ze zaten op onze vaste plek in de hoek, waar een bank, een leunstoel en een houten stoel stonden.

Vooral Lisa was er altijd op gebrand die plek te bemachti-gen. Ze verzon de meest schaamteloze smoezen om er te kun-nen zitten. Zo had ze ooit de leugen verspreid dat er buiten Stubbs parkeerwachten rondliepen, of vertelde ze op luide toon over de verwaarloosde straat waar de bank gevonden zou zijn. Eén keer had ze zelfs gedaan alsof ze mank was, wat ik liever snel weer vergeet.

Ik ging de koffiewinkel binnen en liep naar mijn vriendinnen toe. Het was er gezellig en zoals altijd iets te warm, en het rook er naar versgemalen koffie.

Schuyler, met haar een meter vijfenzeventig, zat rechts op de bank en had haar ellenlange benen onder zich gevouwen. Ze speelde met haar lange rode haar, wat ze altijd deed als ze nadacht. Zoals gewoonlijk droeg ze een spijkerbroek en de wijdste blouse die er in Putnam te krijgen was, in plaats van kleren waarin ze er volgens haar stiefmoeder zou kunnen uitzien als een fotomodel.

Lisa zat naast haar, gekleed in wat ze haar 'Montmartre Chic' noemde, maar wat Ruth en ik haar antropologenklofje noemden. Ze droeg een zwarte kuitbroek, een roze-wit gestreept T-shirt met kopmouwtjes en zwarte ballerina's. De ballerina's waren iets van de laatste tijd. Voordat ze idolaat werd van alles wat met Frankrijk te maken had, droeg ze tien centimeter hoge hakken om te compenseren dat ze eigenlijk maar een meter vijfenvijftig was. We konden nog zo vaak zeggen dat ze door haar dikke zwarte krullen zeker drie centimeter langer leek, en soms wel zes, maar volgens haar hielp dat allemaal niets.

Ruth, met haar perfecte figuur, zat kaarsrecht op de houten stoel. Ze schoof haar bril iets omhoog, iets wat ze altijd deed als ze zich concentreerde. Ruth kleedde zich vrij klassiek of, zoals Lisa zei, 'slaapverwekkend saai'. Ze zag er altijd goed uit, maar droeg nooit iets opvallends. Vandaag droeg ze een spijkerbroek: geen strak model met een hoge taille, maar een gewone spijkerbroek, met daarop een nauwsluitend wit T-shirt en gouden R-hanger die ze altijd om haar hals droeg. Haar donkerblonde haar zat in een paardenstaart en ze leek niet opgemaakt, hoewel ik haar voor de vakantie had meegesleept naar een Sephora make-upsessie.

En ik? Ik zag mezelf in de ruit en stopte mijn haren achter

mijn oren. Ik wist dat ik mezelf niets wijs hoefde te maken en dat ik niet het leukste meisje van onze school was. Dat was Kittson Pearson, mijn concurrente in de feestcommissie van de vijfde klas en gedoodverfde koningin van het eindbal van het eindexamenjaar. Ook was ik niet het meest sexy meisje van school. Dat was Roberta Briggs, die al in groep zes haar eerste beha kreeg. Maar ik mocht er wezen.

Ik heb lichtbruin haar, een paar sproetjes en hazelnootbruine ogen. Ik heb kleinere borsten dan ik zou willen, maar heb me erbij neergelegd sinds strakke tricot jurkjes in de mode raakten en me heel goed bleken te staan terwijl Roberta er met een boog omheen liep. Ik hou de modetijdschriften bij, maar pas de trends vaak aan tot kleren die me lekker zitten. Zodra het warm weer wordt, loop ik op teenslippers. Anders dan Lisa ben ik nooit meegegaan in de hype van de stilettohakken. Met mijn een meter tachtig heb ik die extra centimeters ook niet nodig.

'Hoi,' zei ik toen ik bij mijn vriendinnen aankwam. Ze mochten dan kwaad op me zijn, ze hadden wel mijn favoriete plek – de fauteuil – voor me vrijgehouden.

Schuyler had haar armen over elkaar geslagen en keek me boos aan. Lisa keek nadrukkelijk van me weg. Ruth glimlachte en leek iets tegen me te willen zeggen, maar Schuyler was haar voor.

'Ik zeg het je maar meteen,' zei Schuyler stijfjes. 'We zijn geen vriendinnen meer.'

'Nee, Shy, luister,' begon ik.

'Geen vriendinnen meer!' herhaalde Schuyler. De eerste vlekken verschenen in haar gezicht. 'We zijn geen vriendinnen meer.'

'Wacht nou,' zei ik. 'Ik kan het uitleg...'

'Je meent het,' zei Lisa terwijl ze zich naar me toe draaide.

Op haar gezicht verscheen de uitdrukking die ze altijd kreeg wanneer ze naar een Frans woord zocht. '*Alors*,' zei ze ten slotte. 'Dus jij denkt dat je het kunt úítleggen?'

'Jongens,' zei Ruth sussend, 'laten we nou eerst eens naar Madison luisteren, oké?'

'Ze heeft iedereen over mijn neuscorrectie verteld! Ik bedoel, over mijn zeilongeluk. Nota bene in een blóg!' zei Schuyler. Ze stopte een haarlok in haar mond.

'Háár,' riep de rest van ons automatisch. Sinds Schuyler een televisieprogramma had gezien over een vrouw bij wie operatief een haarbal van een paar kilo uit haar buik was verwijderd, moesten we haar waarschuwen als ze op haar haren kauwde.

'Bedankt,' zei Schuyler. Ze haalde haar haren uit haar mond en ging op haar handen zitten.

'Luister,' zei ik weer, maar opnieuw werd ik onderbroken door Lisa.

'Mad,' zei ze, 'ik begrijp nog steeds niet hoe je me dit hebt kunnen aandoen. Ik bedoel, je doet oneerbare voorstellen aan míjn vriendje. En dan ook nog zo dat iedereen het kan lezen.'

'Heb je dat echt gedaan?' Schuyler keek me vol afschuw aan. 'Bah!'

'Heb ík dat gedaan?' vroeg ik. Ik voelde Schuylers ogen op me branden. Het drong langzaam tot me door wat de kraker had aangericht en mijn maag draaide zich om. Lisa's vriendje, Dave Gold, was een aardige jongen en ik beschouwde hem als een goede vriend van me. Maar verder... nee. Ik moest er niet aan denken. Niet dat hij er iets aan kon doen, maar Dave stonk altijd naar salami.

'Ik snap ook wel waarom je dat doet,' ging Lisa verder. Ze trok aan haar korte Amelie-pony. 'Dave is natuurlijk een vreselijk lekker ding, maar dat wil nog niet zeggen dat je...'

'Jongens!' riep ik ten einde raad uit. Een ouder echtpaar in de hoek keek geërgerd op van hun kruiswoordraadsel in de *Times*. 'Luister nou,' zei ik iets rustiger. Ik liep naar mijn fauteuil, ging zitten en leunde voorover. 'Dat heb ik allemaal niet gedaan. Mijn profiel is gekraakt.'

Ruth schudde haar hoofd. 'Dat probeer ik jullie al de hele tijd duidelijk te maken,' zei ze. 'Als jullie me de kans hadden gegeven.'

De bowlingbal in mijn buik werd ineens een stuk lichter. 'Geloof je me?' vroeg ik aan mijn beste vriendin. Ik was haar oneindig dankbaar dat ze partij voor mij koos.

'Natúúrlijk,' zei ze. 'In het begin dacht ik dat jij het zelf had geschreven, maar na een tijdje wist ik zeker van niet. Ik bedoel, je probeerde Dáve te versieren.'

'Wat bedoel je daar nou weer mee?' vroeg Lisa met een beledigd gezicht.

'Gewoon... dat Madison een goede vriendin van ons is en zoiets nooit zou doen,' zei Ruth snel. Ze glimlachte veelbetekenend naar mij.

'Precies,' beaamde ik, en ik glimlachte terug naar haar. 'Dat zou ik nooit doen. En ik heb het ook niet gedaan, Lisa, dat zweer ik. Ik kán het ook niet gedaan hebben. Er was nauwelijks internet op de boot.' Dat leek me makkelijker dan uitweiden over stenen-tijdperkmodems, Travis en honkbalspelletjes.

'O, nou... *d'accord*,' zei Lisa enigszins kribbig. Ze leunde achterover op de bank.

'Nou, ik ben nog steeds boos,' zei Schuyler ten overvloede, want ze was inmiddels vuurrood in haar gezicht. 'Jij... of wie ook,' voegde ze er na een fronsende blik van Ruth aan toe, 'hebt iedereen over mijn neuscorrectie verteld. Ik bedoel, mijn zeilongeluk. En dat ook nog in je Friendverse-blog, dus al je vrienden hebben het kunnen lezen. Dat wil zeggen, je ex-vrienden. Denk je dat ik het leuk vind dat Connor Atkins nu weet dat ik een neus... ik bedoel, een zeilongeluk heb gehad?'

'Wat heeft Connor Atkins hiermee te maken?' vroeg Lisa met opgetrokken wenkbrauwen.

'Nou, inderdaad,' zei ik, terugdenkend aan de twee hertellingen waarmee hij me had opgescheept.

'Nee, ik bedoelde het... je weet wel...'

'Hypothetisch,' vulde Ruth aan.

'Retorisch,' zei Lisa tegelijkertijd.

'Als grapje?' deed ik een duit in het zakje.

'Het was gewoon... hoe-zeg-je-dat? Wie valt er nu op Connor Atkins. Ik niet. Maar dat wil nog niet zeggen dat ik wil dat hij het weet. Ik bedoel, ik heb écht een zeilongeluk gehad. Had ik soms met een gebroken neus moeten blijven rondlopen?'

'Natuurlijk niet,' zei ik. Schuyler had waarschijnlijk liever niet dat ik over haar stiefmoeder begon die, na haar jaren aan haar hoofd te hebben gezeurd haar neus te laten bijwerken, haar kans had gegrepen en de plastisch chirurg had gebeld toen bleek dat Schuyler haar neus had gebroken. Schuyler had gewoon de pech dat de uitdrukking 'Ik heb een zeilongeluk gehad' bij ons op school codetaal was voor 'Ik heb in de vakantie iets laten doen.' 'Het spijt me echt heel erg,' voegde ik eraan toe.

'Nou, oké,' zei Schuyler aarzelend. 'Als jij zegt dat je het niet hebt gedaan...'

'Ik heb het niet gedaan,' zei ik. 'Ik zweer het, Shy.'

'Oké,' zei ze weer, en haar doorgaans zo vrolijke blik keerde terug. 'Nou, welkom thuis dan. Hoe was het? Je bent lekker bruin geworden!'

'*Un moment*,' zei Lisa. 'Als Mad het niet heeft gedaan, wie dan wel?'

'En waarom?' voegde ik eraan toe. 'Dat kan ik maar niet begrijpen.'

'Dat gaan we uitzoeken,' zei Ruth. Ze grabbelde in haar tas, haalde er een moleskinboekje uit en pakte een klein zilveren pennetje uit haar portemonnee. Ruth maakte altijd lijstjes. Ze maakte een lijstje als ze twijfelde over de vakken die ze wilde volgen, van films die ze wilde zien, van kledingstukken in haar garderobe die te veel op elkaar leken en van het aantal keren dat een klasgenoot tijdens de Engelse les 'eh' zei.

'Laten we eerst koffie bestellen,' zei ik, opgelucht dat mijn vriendinnen me geloofden. 'BAU?' Ik gebruikte graag afkortingen, waar Dave en Ruth me altijd mee plaagden. Ik zag Ruth inderdaad met haar ogen rollen, waarschijnlijk omdat ze zich afvroeg waarom ik niet gewoon 'business as usual' kon zeggen. Maar ik zat er niet mee, ik vond het leuker zo.

Toen iedereen knikte, pakte ik mijn portemonnee en liep naar de toonbank. Kevin, de leukste bediende bij Stubbs – die helaas verkering had met Vince de barista en dus geen partij was – had dienst. Ik bestelde onze favoriete koffies van die maand: voor Lisa een café au lait met een shot suikervrije hazelnoot (wat ze zelf altijd *noisette* noemde), een Mint Mocha Stubsaccino voor Schuyler, een Iced Vanilla Latte met een extra shot vanille voor mezelf, en een Soy Latte voor Ruth. Sinds we bij Stubbs kwamen, was Ruth de enige die altijd hetzelfde dronk.

Toen de koffies klaar waren, gaf ik Kevin een fooi en liep terug naar onze hoek. De verdeling van onze vaste zitplaatsen zei veel over de dynamiek van onze groep. De stoel van Ruth en mijn fauteuil stonden het dichtst bij elkaar. Wij waren het langst bevriend, sinds groep drie. In de brugklas waren we vriendinnen met Lisa geworden, en in de derde klas met

Schuyler toen ze van kostschool op Putnam High kwam. Over die kostschool praatte ze nooit, behalve als ze gedronken had, en zelfs dan fluisterde ze nog en sprak ze over 'De Hel'. We moesten altijd oppassen dat we in haar bijzijn niet per ongeluk de naam van de school lieten vallen.

Omdat Ruth en ik al beste vriendinnen van elkaar waren, zijn Schuyler en Lisa, die zich in het begin een beetje buitengesloten voelde, ook meteen beste vriendinnen van elkaar geworden, waarna ons groepje compleet was.

'Oké,' zei ik terwijl ik onze koffies neerzette en mijn Iced Latte pakte. 'We gaan het uitzoeken.'

'Ik ben er klaar voor,' zei Ruth met haar pen in de aanslag.

'Wie kan het hebben gedaan?' vroeg Lisa terwijl ze een suikerklontje (losse suiker vond ze te Amerikaans) in haar koffie liet vallen.

Ik nam een versterkende slok van mijn Iced Latte, sloot mijn ogen en dacht na. Ik probeerde me alle misdaadverhalen die ik de afgelopen maanden had gelezen voor de geest te halen. Wat een detective in elk geval nooit deed was de zaak proberen op te lossen voordat hij alle informatie had verzameld. Ik herinnerde me een zin uit de laatste *Sherlock Holmes* die we van meneer Underwood hadden moeten lezen: 'Het is een ernstige fout te theoretiseren voordat men de gegevens heeft.'

'Voordat we met verdachten komen,' zei ik terwijl ik mijn hersencellen, die door de ijskoffie dreigden te bevriezen, tot actie probeerde aan te zetten, 'moeten we eerst weten hoe dit kon gebeuren.'

'Je profiel is gekraakt,' zei Schuyler behulpzaam.

'Dank je,' zei ik. 'Maar wanneer is dat gebeurd? Ik heb vanmiddag pas voor het eerst mijn Friendverse kunnen bekijken.'

'Ik merkte het voor het eerst tijdens de tweede dag van de voorjaarsvakantie,' zei Lisa.

'Dat was inderdaad de eerste keer dat ik een vreemd bericht binnen kreeg,' beaamde Schuyler.

Ruth knikte. 'Dat was ook de eerste keer dat ík iets merkte,' zei ze. 'Maar...'

'Juist,' zei ik. Ruth was een van weinigen die niet verslaafd was aan computeren. Ze logde maar een paar keer per week in, in plaats van een paar keer per dag, zoals de rest van ons. 'Oké. Dus het moet iemand zijn geweest die wist dat ik weg was en de schade niet meteen zou ontdekken.'

'Inderdaad,' beaamde Lisa.

'En degene die het heeft gedaan wilde me echt te grazen nemen,' zei ik. 'Om een of andere reden. Ik bedoel, de kraker wilde Justin doen geloven dat ik hem heb gedumpt, hij had het over Schuylers neuscorrectie... eh, zeilongeluk,' verbeterde ik mezelf snel omdat ik Schuylers ogen vuur zag schieten, 'en probeerde iedereen te doen geloven dat ik Dave wilde versieren.'

'Erger dan dat,' zei Lisa. 'Iedereen dacht dat je aan het doordraaien was, Mad. *Complètement folle*. De fall-out is gigantisch.'

'Wat is er?' vroeg ik toen ik de ernstige gezichten van mijn vriendinnen zag. 'Wat is er nog meer gebeurd? Bijna iedereen heeft me geblokt, dus ik heb niet alles kunnen lezen.'

Lisa fronste en haalde haar telefoon uit haar broekzak. 'Shy, vertel haar wat ze moet weten,' zei ze terwijl ze met haar duim wat toetsen intikte.

'Wat?' vroeg ik weer. Ik werd steeds nerveuzer.

'Niet best,' zei Schuyler. Ze draaide een lok om haar vinger.

'Niet aan je haar zitten,' zei Ruth. Schuyler was met friemelen aan haar haren begonnen om van het haarbijten af te komen, en nu probeerden Ruth en ik haar dit weer af te leren omdat het er zo onnozel uitzag. En om eerlijk te zijn kon Schuyler dat er net niet bij hebben.

'Dank je,' zei Schuyler. Ze ging weer op haar handen zitten. 'Oké, ben je er klaar voor?'

'Helemaal,' zei ik. Ik ging ervan uit dat ik het ergste al wist en dat ik de rest ook wel aankon.

Niet dus.

Terwijl Schuyler me vertelde over de schade die de nep-Madison had aangericht, logde Lisa via haar telefoon in op Friendverse en zocht naar de reacties van mijn vrienden.

Het was écht erg.

Jimmy en Liz die, afgezien van hun tijdelijke breuk in de derde klas, al zes jaar bij elkaar waren, waren met knallende ruzie uit elkaar gegaan omdat mijn kraker in een blogbericht al hun geheimen had rondgebazuind.

Jimmy en Liz mogen dan voor het perfecte stel van de klas doorgaan en met stralende gezichten rondlopen, de werkelijkhijd is anders! Liz en Matthew Reynolds waren op BMM's veest afgelopen week niet van elkaar af te slaan! Dat avontuurtje heeft ze natuurlijk niet opgebiecht aan haar 'soulmate'! Maar dat hoort bij het spel, nietwaar? Vraag Jimmy maar eens naar zijn gemengde dubbels tijdens zijn zomertenniskamp. Het was vooral 'love' búíten de baan...

Ik keek op van Lisa's telefoonschermpje. Ik was misselijk. 'God,' zei ik, 'dit is verschrikkelijk. Wie zou dit Jimmy en Liz willen aandoen? En moet je die spelfouten zien.'

'Maar het is wel waar, of niet?' vroeg Ruth aan mij.

Ik kreeg kriebels in mijn buik omdat ik me schuldig voelde, maar ik dacht dat het te wijten was aan het teveel aan ijskoffie op een lege maag. Het probleem was dat Ruth gelijk had.

Liz had me haar slippertje met Matthew bekend en Jimmy had me verteld over zijn flirt met zijn dubbelpartners. Ze hadden me afzonderlijk van elkaar verzekerd dat ze een enorme vergissing hadden begaan en gezegd dat het fout was wat ze hadden gedaan. Ik had gezworen het tegen niemand te zeggen. Maar goed, zoveel mensen had ik het nu ook weer niet verteld. En degenen die ik het had verteld, hadden beloofd het niet door te vertellen.

'Ja, dat wel,' zei ik. 'Maar dat wil nog niet zeggen dat je dat soort dingen in een blog kunt zetten. Ik bedoel, dat zou ik nooit doen.' Ik keek mijn vriendinnen aan. 'Zijn ze echt uit elkaar?' Jimmy en Liz waren zo'n hecht stel, het was onmogelijk ze apart voor te stellen.

'*Oui*, ze zijn uit elkaar,' beaamde Lisa. '*C'est la vie.*'

'Wat nog meer?' zei ik. Ik bereidde me voor op het ergste.

Schuyler vertelde me met een boze blik dat ik mezelf aan Connor Atkins had opgedrongen en Lisa hield het bewijs onder mijn neus.

Hé, Connor, hoest lekker ding? ;) Wat zou je ervan vinden als we volgend weekend afspreken om onze 'strategie' te bespreken... wil je mijn running mate worden? ;)

'Wat heeft dat te betekenen?' vroeg ik, en ik gaf Lisa haar telefoon terug. 'Ik bedoel, van het idee alleen al word ik misselijk.'

'Ik snap niet waarom iemand Connor hierin wil betrekken,' zei Schuyler met een woedende blik. 'Wie het ook gedaan heeft, hij speelt wel met onze gevoelens. En dat verdient Connor niet!'

'Het is echt grof,' zei Ruth met een blik op mij. 'Ik word er ook misselijk van.'

'Kittson Pearson is ook vreselijk kwaad op je,' zei Lisa ter-

wijl ze over haar scherm scrolde. 'En ik begrijp wel waarom.'
Ze gaf me de telefoon weer aan.

Kittson, het wordt tijd dat je na de voorjaarsvakantie met een
GOED theema voor het schoolbal komt. Je weet wel, een theema dat er voor zorgt dat mensen ook echt naar het veest
kómen. Dat wil zeggen, als je het al niet voorgoed hebt verpest
met je supersneue leiderskwaliteiten. Denk je dat dat gaat lukken?

'O, mijn god, ze vermoordt me,' zei ik, starend naar Lisa's
schermpje.

'Dat zal wel meevallen,' stelde Ruth me gerust.

'Nou, ik weet het niet,' zei ik. 'Je mag de toekomstige koningin van het bal nooit en te nimmer beledigen. Ik bedoel, als
je de film *Carrie* gezien hebt, bedenk je je wel twee keer. En
heb je die nagels van haar gezien? Een messenset is er niks bij.'

Ik plofte achterover in mijn stoel. Dit was rampzalig. Nu ik
alles zwart-op-wit had gezien, viel er weinig meer te ontkennen.

Lisa pakte haar telefoon weer aan en scrolde verder. 'Tot de
rest van de reacties heb ik geen toegang,' zei ze. 'De meeste
mensen hebben je opmerkingen verwijderd. Omdat ze gewoon
beaucoup beledigend waren.'

'En,' zei Schuyler aarzelend, 'dan is er nog die kwestie met
Justin.'

Ik wuifde het weg. 'Dat zal wel meevallen,' zei ik tegen mijn
vriendinnen, die me om een of andere reden nogal verslagen
aankeken.

'Nou, eh, het ligt nogal...' begon Schuyler.

'Nee,' zei ik. Ik rammelde met het ijs in mijn plastic beker.
'Ik weet zeker dat Justin het zal begrijpen. We hebben een
bánd, weet je.'

Justin Williamson en ik hadden elkaar toevallig ontmoet. Ruth gaf hem natuurkundebijles in het kader van het naschoolse programma Bunsen Burder Bunnies, dat goede leerlingen koppelde aan leerlingen die wel wat hulp konden gebruiken, en ik zou haar die middag een lift naar huis geven omdat haar auto naar de garage was. Omdat mijn repetitie eerder was afgelopen dan anders, besloot ik Ruth op te halen in de bibliotheek. En daar zat hij: blond, breedgeschouderd en kauwend op zijn pen. Ik vond hem meteen leuk. Normaal val ik niet op sporters, maar Justin was anders. Hij speelde football in de herfst en rugby in de lente, en gelukkig hoefde ik maar naar twee rugbywedstrijden te komen kijken voordat hij me mee uit vroeg, zodat ik daarna niet meer hoefde te veinzen dat het me interesseerde.

Zodra ik afscheid had genomen van mijn vriendinnen, zou ik Justin bellen om het uit te leggen, en dan kwam alles weer goed.

'Het komt wel goed,' verzekerde ik hen. 'Justin weet dat ik hem nooit op Friendverse zou dumpen.'

'Ik ben bang van wel,' zei Ruth langzaam en ze keek me met een verdrietige blik aan. 'Hij heeft verkering met Kittson Pearson.'

4

'Wát?' Ik staarde Ruth aan. 'Ik bedoel, wát?'

'*Oui*,' zei Lisa bedroefd, en ze haalde één schouder op, wat ze, daar was ik van overtuigd, pas deed sinds ze de film *Chocolat* had gezien. 'Het is waar. Kennelijk hebben ze elkaar al twee dagen na jullie breuk gevonden, en gisteren...'

'Wat?' vroeg ik, en ik keek mijn vriendinnen één voor één aan. 'Wat is er gisteren gebeurd?'

'Ze hebben allebei hun status in "bezet" veranderd,' zei Ruth ernstig. 'Ik vind het zo rot voor je, Maddie.'

Alleen Ruth mocht me Maddie noemen, en alleen onder zeer moeilijke omstandigheden. Als het nog niet tot me was doorgedrongen dat mijn vriendje en de toekomstige koningin van het bal een oogje op elkaar hadden, dan had het horen van mijn troetelnaam me wel uit de droom geholpen.

Het veranderen van je profielstatus is namelijk niet zomaar

iets. Ruth had voor het vak psychologie een werkstuk gemaakt over de 'bezet'-status op Friendverse en was tot de conclusie gekomen dat het de moderne equivalent van 'verloven' of 'verkering hebben' was. Ze had er een negen voor gekregen, dus erg ver zal ze er niet naast hebben gezeten. Op Putnam High was het tenminste hét bewijs dat iemand een relatie had. Bij het idee dat Justin en Kittson samen hun status hadden veranderd, kwam mijn ijskoffie omhoog. Ik probeerde er niet aan te denken wat ze verder nog samen hadden gedaan.

Hij geloofde het dus. Justin, mijn vriendje gedurende zeventien dagen, geloofde dat ik hem had gedumpt op Friendverse en had meteen aangepapt met het populairste meisje van school, zonder er eerst met mij over te praten.

'Niet te geloven!' riep ik uit. 'Ik bedoel, ik heb net een schildpadje voor hem gekocht.'

Mijn vriendinnen keken me aan. 'Is dat geheimtaal voor iets spannends dat jullie samen hebben uitgehaald?' vroeg Lisa. 'Want dat wil ik helemaal niet weten.'

'Nee,' zei ik. Ik haalde de zak souvenirs uit mijn tas en zette hem op tafel. 'Souvenirs.'

'O, cadeautjes?' zei Lisa, en ze griste de zak naar zich toe.

'Ja,' zei ik. Terwijl Lisa de souvenirs eruit haalde, liet ik me weer achterover zakken in mijn fauteuil. 'Ik heb er één voor mezelf en één voor hem gekocht. Omdat schildpadden hun hele leven met dezelfde partner paren.'

Iedereen keek me met opgetrokken wenkbrauwen aan.

'We hebben het niet gedaan, hoor!' zei ik snel. 'Dat zou wel een heel grote stap zijn. Bovendien was het pas zeventien dagen aan.'

Met mijn vorige vriendjes, of op feestjes, was ik nooit verder gegaan dan zoenen. Ik had gehoopt dat ik met Justin een stap

verder zou gaan – ik had zelfs al een mooie kanten beha gekocht – maar dat zat er nu niet meer in. Ik hoopte dat ik het
bonnetje nog ergens had.

'Trouwens,' voegde ik eraan toe, 'denken jullie niet dat ik het
jullie zou hebben verteld? We vertellen elkaar toch altijd alles?'

Schuyler keek snel naar haar handen, waardoor haar haren
voor haar gezicht vielen. Voor zover ik wist, zaten mijn vriendinnen in hetzelfde schuitje als ik: geen van hen had 'het' met
een jongen gedaan. Schuyler ging uit met elke jongen die haar
vroeg, maar hield het vervolgens na twee weken alweer af omdat
ze er dan pas achter kwam dat ze hem eigenlijk niet leuk vond.

Ruth had op Putnam High nooit een serieus vriendje gehad,
maar beweerde afgelopen zomer verkering te hebben gehad op
het natuurkundekamp. Als Ruth er niet bij was, hadden
Schuyler, Lisa en ik ellenlange discussies over de vraag of die
mysterieuze natuurkundejongen wel bestond.

Lisa en Dave hadden al een jaar verkering, en ze had tegen
ons gezegd dat ze van plan waren 'het' te gaan doen, maar dat
ze wilde wachten tot Bastille-dag, vanwege de mooie symboli-
sche betekenis. Ik heb maar niet gevraagd wat daar dan zo
mooi aan was, omdat ik dat helemaal niet wilde weten.

'O, wat leuk! Ik bedoel, *mignon*!' zei Lisa terwijl ze een
draagtas omhooghield. 'Deze is zeker voor mij, hè?'

Ik knikte en gaf de vogelknuffel aan Schuyler en het Dar-
win-knikpoppetje aan Ruth.

'Dank je,' zei Schuyler glimlachend. Kennelijk was ze vergeten wat haar even daarvoor nog dwarszat.

'Dit is ook leuk,' zei Ruth terwijl ze Darwins hoofd liet
knikken.

Ik keek verdrietig naar de houtgesneden schildpadjes. 'Wat
moet ik hier nu mee?'

'Als boekensteun gebruiken?' opperde Schuyler.

Bij het zien van de twee ongelukkige schildpadjes werd ik ineens heel vastberaden. 'Nee,' zei ik. Ik stopte ze weer in mijn tas. 'Ik geef er gewoon eentje aan Justin.'

'Oké,' zei Lisa. 'Als afscheidscadeau, bedoel je?'

'Nee,' zei ik. 'Als zijn vriendin. Omdat ik hem terug wil.'

'O,' zei Schuyler. 'Oké.' Ze nam een slokje van haar koffie. 'Maar, eh, waarom?'

'Niet dat hij niet superleuk is, Mad,' zei Lisa snel. 'Want dat is hij wel, hoor. Maar ik heb eerlijk gezegd nooit helemaal begrepen wat je in hem zag.'

Ik was blij dat Ruth net zo beledigd keek als ik me voelde. 'Er was een klík tussen ons,' zei ik weer. 'Dat kennen jullie niet. Maar er was echt iets tussen ons...' Ik zuchtte. De laatste keer dat we zoenden, had ik dat heel duidelijk gevoeld. Daar hadden we niet over hoeven praten – sterker nog, we leken nooit ergens over te hoeven praten. Kennelijk begrepen we elkaar zo goed dat woorden overbodig waren.

'O,' zei Schuyler. 'Oké dan.'

'Dus,' zei ik. Ik zweeg even en probeerde mijn gedachten op een rijtje te krijgen, want het was een behoorlijk vermoeiende middag geweest. 'Laten we erachter proberen te komen wie me heeft gekraakt.'

'Ik maak een lijstje,' zei Ruth, en ze boog zich over haar notitieboekje.

'Wat een leuk project!' zei Schuyler, opgewonden in haar handen klappend.

'Nou,' zei Lisa, 'zoveel mensen kunnen het niet geweest zijn. Het moet iemand zijn die al die geheimen al kende. Toch?'

'Precies,' zei Schuyler. Ze stak een pluk haar in haar mond.

'Háár,' riepen Lisa en ik.

'Dank je,' zei Schuyler, en ze haalde haar haren weer uit haar mond. 'Op een of andere manier was de kraker van alle geheimen op de hoogte. Toch? Op een of andere manier wist hij van mijn zeilongeluk.'

'Vergeet dat nou maar,' zei Lisa tegen haar.

'Iemand met informatie,' herhaalde Ruth. Ze begon verwoed te schrijven.

'En het motief,' bracht ik haar in herinnering. 'Wat de reden ook was, iemand wilde dat het uit raakte tussen Jimmy en Liz, en dat Justin en ik ruzie kregen. Maar het belangrijkste is dat hij iedereen wilde doen geloven dat ík het had gedaan.'

'Ik denk dat het Kittson is,' zei Lisa beslist. '*La femme dangereuse.*'

Ik schudde mijn hoofd. 'Volgens mij vindt ze mij daar te onbelangrijk voor,' zei ik. 'Bovendien heeft ze daar te weinig fantasie voor. Haar eerste voorstel voor het schoolfeestthema was "Nacht van het Gala". Maar dan niet op de manier van die gave horrorfilms uit de jaren tachtig.'

'Misschien was het Connor!' zei Ruth. Ze keek op van haar notitieboekje. 'Hij wil natuurlijk wraak nemen omdat hij twee keer van je heeft verloren.'

'Hmm,' zei ik. 'Interessant. En misschien schreef hij een berichtje aan zichzelf, zodat ik hem niet zou verdenken. Dat maakt het wel extra akelig, maar het is wel effectief...'

'Hij was het niet,' viel Schuyler boos uit. We staarden haar alle drie aan. 'Ik bedoel... zoiets zie ik hem niet doen. Niet dat ik dat weet. Want dat is niet zo. Het is gewoon... een gevoel.' Ze bloosde en mompelde iets over opruimen, waarna ze onze lege bekers verzamelde en naar de prullenmand liep.

'Ze gedraagt zich *comme une folle*,' merkte Lisa op.

'Zeg dat wel,' zei ik, terugdenkend aan haar vreemde gedrag.

'Klaar,' zei Ruth. Ze scheurde een vel uit haar boekje en gaf het aan mij.

In Ruth' nette, krullerige handschrift las ik het volgende lijstje:

Mads Friendverse-kraker/Mogelijkheden:
1. *Kittson Pearson*
2. *Connor Atkins*

Ik staarde somber naar de lijst. 'Veel is het niet,' zei ik.

'Maak je geen zorgen,' zei Lisa. '*Ne pas t'inquite*! Ik weet zeker dat we een hele rits mensen vinden die je niet mogen.'

'Dank je, Lisa,' zei ik. 'Heel erg bedankt.'

'*De rien*,' reageerde ze opgewekt. Toen rekte ze zich uit en keek op haar horloge. 'O, *mon Dieu*, ik moet gaan.'

'Ik ook,' zei Schuyler, terugkerend van de prullenbak. Ze staarde naar haar nieuwe telefoon. 'Ik wist niet dat het al zo laat was.'

We pakten onze spullen bij elkaar en liepen naar buiten. Schuyler stapte in haar terreinwagen, Lisa in haar Kever cabriolet. Toen ze wegreden, kwam er uit Lisa's raampje een flard Edith Piaf.

Toen Ruth en ik bij onze auto's kwamen, gaf ze me een snelle knuffel. 'Het komt allemaal goed,' zei ze. 'We zoeken het tot op de bodem uit. Per slot van rekening hebben we een lijstje.'

'Oké,' zei ik lachend. 'En ik krijg Justin terug.'

'Dat ook.'

'Je bent geweldig,' zei ik zacht. 'Fijn dat je me vanaf het begin hebt gesteund.'

'Natuurlijk,' zei ze. Ze rolde met haar ogen en keek me met een ik-ben-toch-je-beste-vriendin-blik aan. 'En bedankt voor mijn Darwin-poppetje.'

'Ik spreek je later?' vroeg ik.

'Ik spreek je snel,' antwoordde ze.

Dit was onze afscheidsriedel, hoe suf het ook klonk. Niet alleen online maar ook in levenden lijve. Toen we in groep acht zaten, vonden we dat ontzettend cool, nu zeiden we het alleen nog uit gewoonte.

Nadat we elkaar nog een knuffel hadden gegeven, stapte Ruth in haar zilverkleurige Volvo en reed weg.

Ik bleef alleen op de parkeerplaats achter en probeerde de gebeurtenissen van die dag te verwerken.

Ergens daarbuiten in Putnam was iemand die me haatte – zó erg haatte dat hij mijn vrienden verdriet deed en mijn leven overhoop wilde gooien. Er stak een windvlaag op. Ik maakte het portier van mijn auto open en stapte in. Het was nog altijd een beetje fris; de lente had nog niet helemaal doorgezet. Ik merkte dat ik rilde.

Toen startte ik de motor en reed naar huis.

5

Lied: *Scandalous Scholastics* – Gym Class Heroes
Quote: 'Ik ben gekraakt!' – Madison MacDonald

Die maandag op school was geen pretje. Niet dat ik een gezellige picknick had verwacht, maar het was erger dan ik had gedacht.

Misschien is dat van die picknick niet het goede voorbeeld, want zo leuk vind ik picknicken niet. Als ik op zo'n deken zit, denk ik meestal: wat doe ik hier in hemelsnaam? Ik had lekker binnen kunnen zitten.

De avond ervoor had ik de schade nog geprobeerd te beperken. Ik had mijn telefoon opgeladen en twee berichten op Justins voicemail achtergelaten waarin ik hem de situatie uitlegde. Daarna had ik mijn profiel terugveranderd naar de situatie van vóór de vakantie. Om de spelfouten, Yanni en Dora te compenseren, voegde ik een paar extra indrukwekkende boeken, bands en films toe aan mijn profiel; ik blokte de engerds die de kraker in mijn Top 8 had gezet; ik stuurde vriendverzoeken naar mijn vroegere vrienden; en ik blogde over wat er was gebeurd, zodat iedereen wist dat ik er niets mee te maken had.

Ik uploadde een vakantiekiekje en veranderde mijn profielfoto. Na het avondeten had ik mijn foto's bekeken en tot mijn grote plezier ontdekt dat er een foto bij zat van Travis waarop hij in zijn neus zat te peuteren. Die zou ik naar zoveel mogelijk van zijn vrienden e-mailen. Ik bleek ook een aantal foto's van die leuke jongen – hoe héétte hij toch ook alweer? – op de boot te hebben gemaakt. Tot mijn verbazing was hij veel leuker dan ik dacht. Maar ik keek er niet te lang naar, want mijn hart behoorde aan Justin. Ook al besefte hij dat op dit moment niet.

Toen ik klaar was, kroop ik doodmoe in bed. Het was nog vroeg, maar mijn biologische klok stond nog afgesteld op Ecuador-tijd. Niet dat die verschilt met de tijd in Connecticut, maar toch. Het enige wat ik wilde, was slapen en zo snel mogelijk vergeten wat er was gebeurd.

De volgende ochtend zou alles er anders uitzien, zei ik tegen mezelf toen mijn hoofd het kussen raakte.

Niet dus.

Zodra ik mijn auto op de parkeerplaats van school had gezet en naar de ingang liep, wist ik dat er iets stond te gebeuren. Putnam High is een grote school, met bijna tweeduizend leerlingen, vierkante, door lange gangen gescheiden gebouwenblokken die maken dat je vaak te laat komt in de les, en een centraal gelegen zaal – het studiecentrum – ter grootte van een voetbalveld, die tegelijk dienstdoet als kantine.

Toen ik de zijingang naderde, zag ik Greta McCallister en Denise Gifford, bij wie ik in de klas had gezeten en met wie ik goed kon opschieten, naar binnen gaan.

'Hou je de deur even voor me open, Greta?' riep ik haar toe, omdat ik maar een paar passen achter haar liep.

Baf! Ze sloeg de deur in mijn gezicht dicht, en hard ook. Ik bleef als aan de grond genageld staan en keek hen verbijsterd na. Door de glazen ruit zag ik dat Denise zich hoofdschuddend omdraaide, waarna ze geïrriteerd roddelend doorliepen.

Ik kende Greta en Denise niet goed genoeg om geheimen over hen te weten, dus ik kon me niet voorstellen wat de kraker over hen verspreid kon hebben, of waarom hij dat zou hebben gedaan. Greta en Denise hadden nog nooit iemand kwaad gedaan. Ze speelden nota bene klarinet!

Ik liep met een bang voorgevoel de hal in en moest me bedwingen niet in mijn poederdoosspiegeltje te kijken om te zien of er misschien iets op mijn gezicht zat. Want waar ik ook liep, iedereen keek me na; leerlingen stopten met praten als ik eraan kwam, maar barstten in geroddel los zodra ik voorbij was. Leerlingen die ik niet eens kende, gaapten me ongegeneerd aan en lachten in hun vuistje. Ik had er spijt van dat ik niet met een vriendin was meegereden, want dan had ik tenminste niet in mijn eentje door de gangen hoeven lopen.

Ik ving voortdurend flarden van gesprekken op: 'Madison...,' 'Zegt dat ze gekraakt is,' 'Friendverse,' '...ja, die is gek,' 'Kittson,' en 'neuscorrectie'.

Toen ik in het studiecentrum aankwam, ging ik meteen op zoek naar Justin, maar hij bleek niet aan zijn vaste tafel te zitten. En net toen ik aan zijn vrienden wilde vragen waar hij was, ging de bel en stond iedereen op om naar de klas te gaan.

Mijn eerste les die ochtend was mariene biologie en het lukte me om net voor de tweede bel in de klas te zijn. Ik liep snel naar de labtafel die ik met Brian McMahon en Marilee Suarez deelde en zette mijn tas op de grond.

'Hoi, Brian,' zei ik terwijl ik op mijn plaats ging zitten.

'Hoi, Marilee. Leuke vakantie gehad?'

'Fantastisch,' zei Marilee terwijl ze nagelvijlend om zich heen keek om te zien of er ergens werd geroddeld. Brian keek me even woedend aan, maar richtte zijn blik toen op het schoolbord. Het kon niet anders of hij was pissig op me, want meneer Daniels liep al het hele jaar op hem te schelden dat hij beter moest opletten.

'Brian?' zei ik terwijl ik hem voorzichtig aanstootte, maar hij bleef strak voor zich uit kijken.

'Ik praat niet meer met je,' zei hij, nog altijd zonder me aan te kijken.

Marilee keek met een ruk op en kreeg een opgewekte, bijna gretige blik in haar ogen, zoals altijd wanneer er ergens ruzie broeide.

'Vanwege dat Friendverse-gedoe?' vroeg ik aan Brian. Ik probeerde niet te hard te praten. 'Want dat kan ik uit...' Maar voor ik de kans kreeg, begon meneer Daniels uit te weiden over de zeester die we moesten ontleden, en nog voordat de les om was en ik Brian kon aanspreken, was hij het klaslokaal uit gelopen.

'Waar ging dat over?' vroeg Marilee nieuwsgierig.

Ik besefte dat het nieuws nog niet tot haar was doorgedrongen, waarschijnlijk omdat iedereen wist dat ze niet te vertrouwen was. 'Niets,' zei ik, en ik liep snel de gang op voordat ze me verder kon uithoren.

Tussen de lessen door kwam ik Justin geen enkele keer tegen in de gangen, maar ik zag wel enkele vaag bekende vierdeklassers een gezicht trekken dat verdacht veel leek op mijn slechte profielfoto.

Tegen de middagpauze was ik zo chagrijnig en moe van het telkens weer moeten uitleggen dat ik was gekraakt, dat ik overwoog het op een T-shirt te laten drukken, zodat ik het niet voor de tien miljoenste keer hoefde te herhalen.

Ik keek het studiecentrum rond op zoek naar Justin. Toen ik hem nergens zag, liep ik naar mijn vriendinnen. Ruth, Schuyler en Lisa zaten aan onze vaste tafel, maar zodra ik dicht genoeg bij hen in de buurt was, gebaarde ik naar de zijingang van de school. 'Jongens, zullen we buiten op de kei eten?' vroeg ik. De leerlingen aan de omringende tafels waren al luidruchtig aan het roddelen geslagen en wezen openlijk naar me.

'Tuurlijk,' zei Ruth met een vriendelijke glimlach.

'Dank je,' zei ik.

Lisa zuchtte hartgrondig maar verzamelde niettemin haar lunch die ze zojuist op een geblokte linnen zakdoek had uitgespreid. '*D'accord*,' zei ze.

'Goed idee,' zei Schuyler. Ze legde haar sushi weer in het plastic bakje. 'Ik zweer je dat iedereen naar mijn neus zit te staren.'

'Niet waar,' zei Ruth geruststellend.

'Hoe weet je dat zo zeker?' zei Schuyler, haar neus verbergend achter haar hand. 'Iedereen kijkt naar me!'

'Ja, waarschijnlijk omdat je zo raar doet,' zei ik. 'Wie loopt er nu de hele tijd met zijn hand voor zijn gezicht?'

'Ik sms Dave even dat we buiten zitten,' zei Lisa terwijl we door de zijuitgang naar de plek liepen waar we sinds de derde klas lunchten als we buiten wilden eten.

Om de hoek van het hoofdgebouw lag een tuin waar we niet mochten komen, tenzij we door de superstrenge tuinmannen naar meneer Trent, onze rector, gestuurd wilden worden. Maar net achter de tuin lagen een paar grote keien die ze tijdens de aanleg van de tuin uit de grond hadden gehaald.

Connecticut is namelijk enorm rotsachtig. Overal zie je van die stomme stenen muurtjes waar iedereen weg van is, maar ik heb nooit begrepen wat er zo mooi aan is. Dus in plaats van al die grote keien weg te halen (misschien waren ze te groot om muren van te bouwen) hadden ze de stenen op willekeurige plaatsen laten liggen. De grootste kei, die op zijn kop lag, had een mooie platte bovenkant waar zeker vijf mensen op konden lunchen of zonnen, of beide, en een aantal uitsteeksels waar nog een paar vrienden op konden zitten.

Maar vandaag zouden die extra zitplaatsen waarschijnlijk niet nodig zijn, want er kwamen steeds leerlingen langslopen die boos naar me keken of naar me wezen.

'Hoe ging het vanmorgen?' vroeg Ruth meelevend. Zodra we op de kei zaten, haalde ze haar boterham met pindakaas en pakje melk uit haar tas. Ruth at bijna altijd hetzelfde tijdens de lunch, en dat al sinds de basisschool. Ze werd alleen gek als er pizza was. Als we pizza hadden, zorgden we ervoor dat Ruth zelf ook pizza nam, want anders waren wij onze pizzavulling kwijt.

'Slecht,' zei ik. Ik liet mijn tas op de kei vallen en ging er-naast zitten. 'Ik heb Justin nog niet gezien, Greta McCallister smeet de deur in mijn gezicht dicht, Brian weigert met me te praten en Marilee voelt dat er iets aan de hand is, dus inmid-dels zal de hele school wel op de hoogte zijn. Het wordt steeds erger.' Terwijl ik om me heen keek, besefte ik dat ik in mijn haast om buiten te komen had vergeten iets voor de lunch te kopen. 'En dan heb ik ook nog niks te eten bij me.'

'Ben je soms aan het ontslakken?' vroeg Lisa opgewonden. 'Perfect!'

'Nee, ik ben gewoon vergeten iets te kopen,' zei ik. Toen drong pas tot me door wat ze had gezegd. 'Maar hoezo per-fect?'

'O, zomaar,' zei ze. Ze nam een hap van haar tosti. 'Ik wil het zelf ook een keer proberen, maar voordat ik eraan begin, wil ik eerst van iemand anders horen hoe het is.'

'En daarom wil je dat ik het als eerste doe?'

'Nou, als je toch niet eet...'

'Ik eet wel!' zei ik. 'Ik ben het gewoon vergeten.' Ik overwoog terug te gaan naar het studiecentrum, maar zag op tegen het geroddel. 'Ik trek wel iets uit de automaat.'

'Ik doe het wel even voor je,' zei Ruth. Ze pakte haar portemonnee, sprong van de kei en klopte haar zitvlak af. 'Wat wil je? BAU?' Ruth had mijn liefde voor afkortingen en DLA'S (drieletterafkortingen, wat zelf ook weer een DLA is!) nooit begrepen, dus als ze er een gebruikte, wist ik dat ze de draak met me stak.

'Graag,' zei ik. Ik wilde mijn portemonnee pakken, maar ze was al weg, en daarom stopte ik zeven dollar in haar tas. Na negen jaar wist ik uit ervaring dat ik toch niet mocht terugbetalen.

'Dag, dames,' zei een stem. Ik keek opzij en zag Dave Gold de kei op klimmen. Hij ging naast Lisa zitten, gaf haar een snelle kus en wendde zich toen tot de rest van ons. 'Hoe gaat het hier?'

'Hoi, Dave,' zei Schuyler. Ze bedekte haar neus en schoof een stukje op zodat hij meer plaats had.

'Hoi,' zei ik. Ik voelde dat ik bloosde. Ik kon maar niet geloven dat de kraker Dave had lastiggevallen – en dat hij me vervolgens had geblokt. De nep-mij weliswaar, maar toch. 'Luister, Dave, Lisa heeft je toch verteld wat er is gebeurd, hè? Dat mijn computer is gekraakt en...'

'Kan gebeuren,' zei hij. Hij nam zijn bril af en begon de glazen te poetsen met de zoom van zijn T-shirt. Dave moest kasten vol met T-shirts met opdruk hebben. Nu droeg hij een rood T-shirt met de tekst: MIJN ANDERE T-SHIRT IS BLAUW. 'La Feldman,' zei hij met een knikje naar Lisa, 'heeft me ingelicht, ja. Maar laten we eerlijk zijn, Mad, ik heb altijd geweten dat je als een baksteen voor me viel. Of, om je reactie te citeren, dat je 'van die Kuasimodo af wil omdat je mij veel leuker vindt'.

'Heb ik dat gezegd?' vroeg ik vol afschuw. 'Ik bedoel, heeft mijn kraker dat gezegd?'

'Kuasimodo met een K.'

'O, god,' kreunde ik.

'Ik zou wel eens willen weten wie die kraker is,' zei hij. 'Want ze heeft wel smaak wat mannen betreft.'

'Misschien is het wel een hij,' bracht Schuyler hem met een mond vol sushi in herinnering.

Dave verslikte zich bijna in zijn frisdrank.

'Daar heeft Shy een punt,' zei Lisa met een zelfvoldane glimlach. 'Wil je hem nu nog zo graag vinden? En noem me trouwens geen La Feldman!'

'Waar is je lunch, Mad?' vroeg Dave, om van onderwerp te kunnen veranderen.

'Ruth is iets voor me halen,' zei ik. Ik keek achterom om te zien of ze er al aankwam.

'Daar is ze,' zei Lisa. Ze wees naar de deuren die uitkwamen op de tuin. Eén deur stond open en ik zag Ruth met Frank Dell staan praten. Ze had iets in haar hand – hopelijk mijn lunch, want ik viel onderhand om van de honger.

'Wie is dat?' vroeg Schuyler met samengeknepen ogen. Schuyler had eigenlijk een bril nodig, maar ze wist dat ze er toch geen zou mogen van haar stiefmoeder, die haar waarschijnlijk zou laten laseren als ze erachter kwam. In plaats daarvan 'kneep' Schuyler altijd en moesten wij de ondertitels hardop aan haar voorlezen als Lisa ons weer eens had meegesleept naar een Franse film.

'Frank,' zei ik. 'Ik bedoel, Dell. Je weet wel, die computerjongen.'

'Is die leuk?' vroeg Schuyler.

'Nee,' reageerden Lisa, Dave en ik eensgezind. Lisa en ik draaiden ons met opgetrokken wenkbrauwen naar Dave toe.

'Gewoon... Ik bedoel...' sputterde hij tegen. 'Dat ziet toch iedereen...'

'O!' zei Lisa, en ze ging rechtop zitten. 'Een maand of twee geleden begon Ruth steeds van die rare gesprekken met me. Ze scheen me iets te willen vertellen, maar bleef eromheen draaien. *J'ai pensé* dat het over een jongen ging die ze leuk vond. Misschien is hij dat!'

'Denk je?' Schuyler kneep haar ogen weer samen. 'Déll?'

'Zou kunnen,' zei ik twijfelachtig, hoewel Dell me niet echt Ruth's type leek. Niemands type eigenlijk. Misschien alleen van Melinda Gates. 'Maar dan zou ze dat ons toch hebben verteld?'

'Wie zegt dat!' flapte Schuyler eruit. Ze prikte verwoed met haar eetstokje in haar sushi. 'Ik bedoel, soms hebben mensen geheimen die ze niet aan anderen vertellen. Niet omdat ze het niet willen, maar omdat ze het niet kunnen. Misschien voelen ze zich ergens schuldig over, en...'

'Hoi,' zei Ruth terwijl ze met haar hoofd boven de rand van de kei keek. Schuyler viel stil en staarde naar haar handen.

'Shy,' zei ik. Ik probeerde haar blik te vangen. 'Wat wou je net zeg...'

'Hier, voor jou,' zei Ruth, en ze reikte me een cola light, een zakje salt&vinegarchips en een volkoren wrap met Zwitserse kaas en groenten aan. Als ik iets lekker vind, kan ik het weken achtereen eten totdat het mijn neus uitkomt en ik het nooit meer lust.

'Dank je,' zei ik, en ik rolde de wrap open. Ik keek weer naar Schuyler, die nog steeds naar haar handen staarde. Ik besloot het later nog eens te proberen.

'Hoi, David,' zei Ruth glimlachend tegen Dave terwijl ze naast me ging zitten. 'Leuke vakantie gehad?'

'Hé, Ruth,' zei Lisa met een volstrekt ongeloofwaardige luchtigheid, 'met wie stond jij daarnet te praten?'

Tot mijn verbazing zag ik Ruth licht blozen. Misschien vond ze Frank wél leuk. Ik bedoel Dell. Wat... oké. Misschien kon ik er ooit met mijn verstand bij.

'O, met Frank,' zei ze. 'Ik werk met hem en Liz Franklin aan een natuurkundeproject.'

'Nu je het zegt, ik wil hem nog iets vragen,' zei ik met een mond vol heerlijke chips. 'Mijn computer doet nog steeds raar.'

'Hij vroeg nog hoe het ermee stond,' zei Ruth.

'Het is een GZE,' reageerde ik. Vier paar ogen keken me glazig aan. 'Een gebed zonder eind,' verklaarde ik.

'Kennelijk wel,' zei Dave. 'Zeg, Mad, besef je wel dat je door die afkortingen juist méér in plaats van minder tijd kwijt bent, als je ze steeds moet uitleggen?'

Maar voordat ik kon reageren, ging de bel, en ik herinnerde me wat me te wachten stond. Ik zuchtte en verzamelde de resten van mijn lunch.

'Het komt wel goed,' zei Ruth terwijl we van de kei klommen. 'Over een paar dagen is het overgewaaid.'

'Denk je?' vroeg ik.

'Tuurlijk,' zei Dave. Hij ving Lisa op en zwierde haar in het rond, omdat ze dat leuk vond sinds ze *An American in Paris* had gezien. 'Een dag... een maand... wat maakt het uit?'

'Ik haat je,' zei ik toen we door de zijingang naar binnen liepen.

'O ja? Op Friendverse las ik iets heel anders,' kaatste hij terug, en hij sloeg zijn arm om Lisa's schouder.

Ik zei mijn vrienden gedag en wilde net naar Engels gaan

toen ik vanuit mijn ooghoeken Justin door de gang zag lopen.

Mijn hart sloeg over, zo leuk en zelfverzekerd zag hij eruit. Ik wist dat ik hem meteen moest spreken. Ik moest hem uitleggen wat er was gebeurd, zodat hij het meteen kon uitmaken met Kittson en wij weer verkering konden hebben.

'Ik zie Justin,' zei ik nerveus. 'Ik moet gaan.' Ik wuifde naar mijn vrienden en liep snel achter hem aan.

'Succes ermee, MacDonald!' riep Dave me na.

'*Bonne chance*!' voegde Lisa eraan toe.

'Ho eens even, wie was dat?' hoorde ik Schuyler vragen.

'Mad, je komt te laat in de les!' riep Ruth.

'Ik spreek je later!' riep ik terug.

'Ik spreek je snel!' hoorde ik haar antwoorden, iets wat ze nog nooit in het openbaar had gedaan. Zonder achterom te kijken, holde ik door de gang naar Justin toe.

6

Lied: *A short reprise for Mary Todd, who went insane, but for very good reasons* – Sufjan Stevens
Quote: 'Als je niets goeds over iemand kunt zeggen, kom dan maar bij mij zitten.' – Alice Roosevelt Longworth

'Justin!' riep ik. Hij bleef halverwege de gang staan, draaide zich om en keek me aan. Ik probeerde zijn gezichtsuitdrukking te lezen, maar die verried niets. 'Hoi,' zei ik, enigszins buiten adem.

Ik keek hem aan en gaf mijn ogen na twee weken onthouding goed de kost. Hij zag er nog hetzelfde uit, alleen nog een tikje beter. Hij had kort, blond stekeltjeshaar dat perfect zat (dankzij heel veel gel), lichtblauwe ogen, brede schouders en, als hij lachte, een kuiltje in zijn kin – wat hij niet zo vaak deed, dus dat maakte het extra leuk.

'Hoi, Madison,' zei hij. Hij leunde tegen een rij kluisjes. 'Wat wil je?'

Wat wil je? Alsof ik hem om het huiswerk voor de geschiedenisles vroeg. Terwijl ik niet bij hem in de klas zat en alleen gym met hem had.

Maar misschien was dit zijn manier om met liefdesverdriet

om te gaan en deed hij alsof het hem niets kon schelen. Tenzij uitgaan met Kittson Pearson zijn manier was om het te verwerken. Hoe dan ook, het zou allemaal goed komen.

Maar op dat moment luidde de je-kunt-maar-beter-opschieten-anders-word-je-geschorst-bel en was de gang binnen een mum van tijd leeg. Ruth had zoals gewoonlijk weer gelijk: ik kwam te laat in de les. Maar daar zat ik niet mee. Ik had belangrijkere dingen te doen. Justin leek zich ook geen zorgen te maken, of hij moest een uur vrij hebben, want hij wekte niet de indruk haast te hebben.

'Zo,' zei ik. Ik probeerde er niet aan te denken hoe leuk hij eruitzag en dat ik erover had gefantaseerd hoe we na de vakantie zouden zoenen en kletsen (vooral ik, hij zou luisteren). Daarna zou ik hem het schildpadje geven. Ik had natuurlijk niet verwacht dat ik met hem in de gang zou staan terwijl ik eigenlijk Engels had en dat ik niet precies zou weten wat ik tegen hem wilde zeggen. Maar omdat de gefantaseerde versie zich niet voordeed, besloot ik met de deur in huis te vallen. 'Zo. Oké,' zei ik terwijl ik niet probeerde te zien hoe ver hij van me af stond, 'even over dat gedoe op Friendverse.'

'Geeft niet,' zei hij, en hij stak zijn handen in de zakken van zijn kaki broek. 'Ik bedoel, jij wilde het uitmaken, dus dat hebben we gedaan. Simpel zat.'

Hij wist zijn gebroken hart dusdanig goed te verbergen dat mijn eigen hart een beetje brak. 'Nee, dat is het nou juist,' zei ik terwijl ik een stap naar hem toe deed. 'Ik wílde het helemaal niet uitmaken. Ik was het namelijk niet die het heeft uitgemaakt. Mijn Friendverse is gekraakt.'

Justin keek me met half toegeknepen ogen aan. Ik glimlachte naar hem en wachtte op zijn liefdesverklaring en de belofte dat hij niets meer met de toekomstige koningin van het bal te maken wilde hebben. Maar in plaats daarvan keek hij langs me heen de gang in en zei: 'Wat?'

Ik verborg mijn ergernis. Ik wist dat Justin vaak wat extra uitleg nodig had voordat hij iets begreep. Wat natuurlijk prima was. Hij wilde graag een duidelijk verhaal.

'Mijn Friendverse,' zei ik, iets langzamer nu. 'Ik ben gekraakt. Iemand deed alsof hij mij was. En die iemand heeft jou gedumpt. En nu we het er toch over hebben,' ging ik verder, want ik begon warm te lopen, 'ik had eerlijk gezegd verwacht dat je eerst met mij zou willen praten voordat je met haar...' Ik zweeg en haalde diep adem. 'Maar dat doet er nu niet toe. Het gaat erom dat ik het niet wilde uitmaken. Sterker nog,' zei ik terwijl ik nog dichter bij hem ging staan en naar hem opkeek – nou ja, probéérde op te kijken, want we zijn even groot, dus ik liet me iets door mijn knieën zakken – 'ik wíl helemaal niet dat het uit is.'

'Maar, eh...' Justin keek de gang weer in. 'Maar je hebt het wel uitgemaakt, Madison. Of iemand anders. En toen zei Kittson dat ze op me was...'

'Wacht eens even, heeft zíj dat tegen jóú gezegd?' Stiekem was ik opgelucht dat Kittson het initiatief had genomen, en niet Justin. De sloerie! Ik bedoel, wie versiert er nu een jongen die twee dagen daarvoor door zijn vriendinnetje is gedumpt op Friendverse? Dat doe je toch niet?

'Ja,' zei Justin. 'En omdat het toch uit was tussen ons...'

'Maar...' zei ik terwijl ik mijn best deed te begrijpen wat hij bedoelde, '...maar dat was dus een misverstand en...' Mijn stem stierf weg.

'Dat hoor ik nu pas,' zei hij. Hij wilde zijn hand door zijn blonde stekeltjeshaar halen maar bleef met zijn vingers in de gel steken. 'Ik kan het toch niet uitmaken met Kittson omdat jij bent gekraakt, of wel?'

'Natuurlijk wel!' zei ik, blij dat we eindelijk op dezelfde golflengte zaten.

'Madison,' zei hij zacht. 'Ik bedoel... als dit niet was gebeurd...'

'Ja?' vroeg ik. Ik hing aan zijn lippen.

'Justy!'

Ik draaide me naar het geluid toe en zag Kittson Pearson door de gang naar ons toe komen slenteren. Ze droeg ook een spijkerbroek en een T-shirt met een V-hals, maar anders dan ik had ze waarschijnlijk een C-cup en geen Victoria's Secretwaterbeha, zoals ik. Terwijl ze ons naderde, vroeg ik me af hoe het mogelijk was dat ze op een vochtige dag als vandaag zulk plat, steil haar kon hebben. Na dat nog eens goed te hebben bekeken, besloot ik dat het een pruik moest zijn.

'Hè, hè, eindelijk heb ik je gevonden!' kraaide Kittson terwijl ze naar Justin toe liep. Toen ze mij zag, bleef ze staan. 'O, Madison.' Ze nam me van top tot teen op. 'Vergeet niet dat we morgen om vier uur een vergadering van de feestcommissie hebben.'

Ik gaapte haar aan, in de hoop dat me een of andere ongelooflijk slimme opmerking te binnen zou schieten. Maar toen gaf ze Justin een arm en glimlachte zo zelfvoldaan naar me, dat alle woorden, slim of niet, uit mijn hoofd werden gewist. 'Eh,' was mijn briljante reactie.

Ruth had me verteld dat Justin en Kittson iets met elkaar hadden. Justin had het me verteld. Ik wist het, verstandelijk gezien. Maar het drong pas tot me door toen ik hen samen zag, leuk en blond, en op een irritante manier perfect bij elkaar passend. Einde Justin en Madison. Het was nu Justin en Kittson. Het was een kwestie van tijd voordat ze Jittson zouden worden genoemd.

'Zullen we dan maar eens gaan?' zei Kittson, nog altijd met die onuitstaanbare, voldane glimlach. Ze trok Justin aan zijn arm mee, die zich schijnbaar zonder zich te verzetten omdraaide en achter haar aan liep. Ik staarde hen verbijsterd na.

Maar net toen ik mijn tas over mijn schouder zwaaide, bleef Justin staan en draaide zich om. 'Ik zie je nog wel, Mad,' zei hij met een glimlach. 'Leuk dat je weer terug bent.'

Ik glimlachte terug naar hem, maar wist niet of hij het had gezien, want Kittson keek hem geïrriteerd aan, draaide me verwaand haar rug toe en trok hem mee door de gang. Terwijl ik hen fronsend nakeek, haalde ik het lijstje dat Ruth in Stubbs voor me had gemaakt uit mijn tas, pakte een pen en voegde eraan toe:

Mads Friendverse-kraker/Mogelijkheden:
1. Kittson Pearson – Ik denk dat zij het was!
   Motief: wilde Justin, kreeg hem zodra ze mij had
   weggewerkt. ☹
2. Connor Atkins

Kittson mocht Justin dan hebben versierd en mijn snoezige, enigszins naïeve vriendje hebben geëxalteerd (eindexamenwoord), het zou niet blijvend zijn. Het was duidelijk dat Justin nog altijd iets voor me voelde. Dat had hij min of meer gezegd. Maar omdat hij een beschaafde jongen was, had hij Kittson niet meteen vanwege een misverstand gedumpt. Het was slechts een kwestie van tijd voor het weer aan zou zijn tussen ons.

Ik stopte Ruth's lijstje in mijn tas en zwoer dat ik Justin terug zou krijgen. Per slot van rekening was hij mijn andere schildpadje.

'Madison MacDonald!'

Ik keek op en zag mijn leraar Engels, meneer Underwood, de deur van het klaslokaal opengooien en door de gang op me af komen. Zijn toupet flapte op en neer.

'Dag, meneer Underwood,' zei ik terwijl ik koortsachtig naar een smoes zocht. Meneer Underwood was een tiran als het om op tijd komen ging. Als je te laat in de les was, kon je voor straf net zo lang nablijven als je te laat was gekomen. Op het moment dat ik met Justin stond te praten, had me dat niets kunnen schelen, maar nu drong de harde werkelijkheid tot me door. 'Ik ben, eh...'

'Twaalf minuten te laat!' bulderde hij. Terwijl hij terug naar het klaslokaal stormde, liep ik snel achter hem aan. Ik smeekte hem in stilte niet zo hard te lopen, want ik was als de dood dat hij zijn toupet zou verliezen en dat ik heel ongemakkelijk de andere kant op zou moeten kijken als hij hem voor mijn neus van de grond zou moeten rapen.

'Twaalf?' herhaalde ik. Ik keek op mijn horloge en dacht aan mijn nablijfstraf. 'Ik dacht eerder tien minuten. Of acht...'

Inmiddels hadden we het klaslokaal bereikt en plakte zijn toupet nog op zijn schedel, zij het uiterst los. Ik merkte dat er meteen druk werd gefluisterd toen ik het lokaal binnenkwam, en liet me snel in de derde rij op mijn stoel zakken, naast Jimmy Arnett. Jimmy's anders zo vrolijke gezicht stond strak en vermoeid.

'Hoi,' zei ik zacht tegen hem.

Jimmy keek me met een blik vol walging aan. Ik kromp ineen. Vervolgens wendde hij zich zo ver mogelijk van me af, zonder zijn blik ook maar een seconde van het schoolbord af te wenden.

'Nu mejuffrouw MacDonald zich verwaardigd heeft zich bij ons te voegen,' zei meneer Underwood van voor in de klas, 'kunnen we verdergaan met *Dood op de Nijl*. In dit boek zien we dus dat Agatha Christie de verdachten langzaam introduceert. Dat doet ze omdat...'

Terwijl ik deed alsof ik oplette, schakelde ik meneer Underwood uit, terwijl ik zo nu en dan een woord opschreef dat ik toevallig opving. Motief. Thema. Motto. Spanningsboog.

Onze klas maakte zich al het hele jaar door zorgen om meneer Underwoods geestelijke gezondheid, maar inmiddels hoopten de meesten van ons dat hij door zijn verwardheid onze eindtoetsen soepeler zou beoordelen.

We hadden gehoord dat mevrouw Underwood in de zomer van hem was gescheiden, wat hem op een zenuwinzinking en een mislukte haartransplantatie was komen te staan. Door de stress was hij niet in staat gebleken ons de Engelse literatuur bij te brengen die gewoonlijk in de vijfde klas wordt gegeven, zoals *De grote Gatsby* en *De ballade van het trieste café*. Vermoedelijk om zijn eigen ellende te verzachten, onderwees meneer Underwood ons enkel nog zijn eigen favoriete boeken. Het hele eerste semester hadden we P.G. Wodehouse behandeld, wat erg leuk was geweest, maar waarmee ik volgend jaar waarschijnlijk niet mijn eindexamen Engels zou halen. Momenteel behandelden we enkele detectives, en het gerucht ging dat we voor het einde van het jaar nog alle oorspronkelijke John Grishams zouden lezen.

De rest van de les probeerde ik oogcontact te krijgen met Jimmy, maar hij weigerde me aan te kijken. Ik voelde me ellendig over zijn breuk met Liz. Ik begreep er nog altijd niets van. Het was duidelijk dat het de kraker erom te doen was geweest míjn leven op zijn kop te zetten. Maar waarom ook dat van Jimmy en Liz?

'Dus,' brulde meneer Underwood vijf minuten voor het

einde van de les, 'vergeet voor donderdag niet *De muizenval* te lezen. En ik wil dat jullie maandag een opstel van vijfhonderd woorden over de relatie tussen Holmes en Watson inleveren.'

'Meneer Underwood?' Jimmy stak zijn hand op.

'Ja, James?'

'Zouden we ook een boek mogen lezen over een kwaadaardige, wraaklustige vrouw die harteloos het vertrouwen van een vriend schendt en na het kapotmaken van zijn geluk een gruwelijke dood sterft?'

Meneer Underwood keek hem verbaasd aan, en ik voelde de blikken van mijn klasgenoten mijn kant op gaan.

'Nou,' zei meneer Underwood terwijl hij de kruin van zijn toupet verschoof, 'ik denk dat jullie *Hedda Gabler* pas volgend jaar hoeven te lezen, dus...'

Op dat moment ging de bel. Iedereen sprong op, griste zijn boeken en ringmappen bij elkaar en stormde naar de deur.

'En denk aan het huiswerk!' riep meneer Underwood hen na. Toen legde hij het gevreesde gele briefje op mijn lessenaar en gebood me na school twaalf minuten te komen nablijven.

Kreunend griste ik het briefje mee. Ik wist uit ervaring dat hij niet te vermurwen was er een paar minuten af te trekken. Bovendien wilde ik met Jimmy praten voordat hij weg was.

Net buiten de klas haalde ik hem in. 'Jimmy,' zei ik terwijl ik hem de weg versperde. 'Ik was het niet, dat zweer ik! Mijn Friendverse was gekraakt. En...'

'O?' zei Jimmy, nog altijd met een woedende blik. 'Wou je beweren dat je nooit iets over Anna en mij tijdens het tenniskamp hebt doorverteld?'

Ik merkte dat ik bloosde. 'Nou, eh,' stamelde ik, 'nee. Ik bedoel, ik heb het bijna aan niemand verteld. Maar ik zou er nooit over bloggen, dat zweer...'

'Zal ik jou eens wat vertellen, Madison?' onderbrak hij me. 'Het interesseert me niks wat je me te vertellen hebt.' Hij deed een stap opzij en liep verder de gang in.

'Maar,' zei ik snel terwijl ik achter hem aan liep, 'ik weet zeker dat als je met Liz had gepraat...'

'Liz,' zei Jimmy, met licht bevende stem, 'kan met Matthew Reynolds gaan praten.' Na die woorden duwde hij me opzij en liep verder.

Ik zuchtte, hees mijn tas over mijn schouder en begaf me naar de geschiedenisles, waarin goddank niemand van mijn beste vrienden zat. Hopelijk bleef ik nu een heel uur gevrijwaard van de hatelijke blikken van mijn klasgenoten.

Toen ik naar mijn kluisje liep om mijn geschiedenisboek te pakken, zag ik Liz Franklin. Onze kluisjes zaten naast elkaar en het feit dat we vaak bleven staan kletsen, was een van de redenen waarom ik regelmatig te laat in de les kwam. Maar het had ook voordelen, want ik kende haar code en zij die van mij, zodat ik spullen voor haar kon meenemen als ze die nodig had, en vice versa.

Nu fronste Liz alleen maar toen ze me zag aankomen en dook meteen weer met haar hoofd in haar kluisje.

Ik stelde mijn combinatie in en wierp een blik opzij. Liz zag er verlopen uit. Haar ogen waren rood en gezwollen, en het leek alsof ze dagen niet had geslapen.

Na Jimmy's koele reactie had ik weinig zin om met haar te praten, maar ik wilde dat ze wist dat het niet mijn schuld was dat het uit was met Jimmy.

'Liz,' zei ik gauw, voordat ik niet meer durfde, 'moet je horen. Ik heb al die dingen niet in mijn profiel gezet. Iemand heeft mijn computer gekraakt en in mijn naam die blogs gepost.'

Liz draaide zich naar me toe en keek me woedend aan. 'Nou,

dacht het toch wel, Madison,' zei ze. 'Jij wist als enige dat ik met Matthew heb gezoend.'

'Dat spijt me echt heel erg,' zei ik. 'Maar, eh, Matthew wist het toch ook? Misschien heeft hij het doorver...'

Ze kruiste haar armen voor haar borst. 'Dus je hebt nooit iets over Matthew en mij aan anderen verteld?'

Ik voelde mijn gezicht weer warm worden. Waarom moest iedereen me vandaag een kruisverhoor afnemen? 'Dat zeg ik niet,' zei ik, naar de grond starend. 'Maar ik zweer je dat ik het bijna tegen niemand heb gezegd, en ik zou het ook nooit op internet zetten, dat zweer ik...'

Liz schudde haar hoofd en rommelde weer in haar kluisje.

'Ik weet dat Jimmy het heel erg vindt dat het uit is tussen jullie...' ging ik verder. Eerlijk gezegd wist ik dat niet zeker, maar die indruk had ik wel, want zijn stem had getrild toen hij over Liz sprak. 'Het gaat niet goed met hem. Hij is er kapot van.' Haar gezicht kreeg even een zachte uitdrukking, maar meteen daarna kreeg ze weer een boze trek om haar mond.

'Nou, als hij er zo kapot van is, moet hij zich maar laten troosten door die slet van de tennisbaan!' Liz gooide haar kluisdeurtje zo hard dicht dat er een paar werkstukken op de grond vielen.

Terwijl ik me bukte om ze op te rapen, viel mijn oog op een paar natuurkundewerkstukken en een stel bonnetjes van Frank Dell voor verleende diensten. Ik had dezelfde bonnetjes op mijn slaapkamer liggen.

'Is je computer al gerepareerd?' vroeg ik. Ik gaf haar de werkstukken aan en hoopte dat we het over iets anders konden hebben, zodat ze zou vergeten dat ze boos op me was.

'Ja,' zei ze. Ze stopte de werkstukken in haar tas. 'Twee maanden geleden al. Ik weet niet wat Dell ermee heeft gedaan, maar hij doet nu gekker dan ooit.' Toen herinnerde ze zich kennelijk dat ze boos was, want ze keek me weer woedend aan, draaide zich op haar hakken om en liep de gang uit.

'Ik ga zorgen dat het goed komt tussen jullie!' riep ik haar na. Ik wist nog niet hoe, maar het zou me lukken. Toen ging de tweede bel, en ik besefte dat ik nu ook te laat in de geschiedenisles kwam.

De geschiedenisles verliep zonder problemen, behalve dat ik in de vakantie was vergeten mijn huiswerk te leren, zodat ik de meest simpele vraag over de accijnzenwet van meneer Huppelepup niet kon beantwoorden. Aan de andere kant, wanneer zou ik ooit met die wet te maken krijgen? Bovendien had je daar Google voor.

Na Latijn, waarin ik het werkwoord *duco* moest vervoegen omdat ik ook voor dat vak was vergeten mijn huiswerk te maken, haastte ik me naar het nablijflokaal. Dat ik moest nablijven betekende automatisch ook dat ik te laat zou komen voor de repetitie van *De Grote Deen*. Deze productie – een muzikale versie van Hamlet, die zich afspeelde in Denmark, Kansas, in 1928 – was zo moeilijk dat er vaak moest worden gerepeteerd. Repetities waarvoor ik op tijd behoorde te komen.

En wat extra frustrerend was, was dat Sarah Donner mijn oponthoud zou aangrijpen om aan te tonen dat ik de hoofdrol van Felia niet verdiende. Al vanaf het moment dat de castlijst bekend was, was ze met dat soort smoesjes naar meneer Allan, de regisseur, gestapt. Het zat haar behoorlijk dwars dat ze de hoofdrol niet had gekregen – meer dan andere jaren.

Ik pepte mezelf op met een cola light en begaf me naar het nablijflokaal op de benedenverdieping. Ik gaf mijn briefje af aan de lerares die voor de klas achter het bureau zat, keek het lokaal rond of ik nog een enigszins vriendelijk of vertrouwd gezicht zag en nam me voor zo ver mogelijk van de pestkoppen vandaan te gaan zitten. Achter in het lokaal zag ik Glen Turtell onderuitgezakt op een stoel hangen. Ik ging op de stoel naast hem zitten.

Ik was al sinds groep zes bevriend met Turtell, die toen nog een klein, dik kind was dat elke dag geschopt en geslagen werd. Omdat ik destijds al een sterk rechtvaardigheidsgevoel had en zo'n dertig centimeter langer was dan de meeste andere kinderen op school, kwam ik altijd voor hem op. Het jaar daarop was dat al niet meer nodig, want toen schoot hij de lucht in en was hij ineens het grootste kind van zijn klas. Toen pakte híj de lunch en het geld van zijn vroegere plaaggeesten af.

We trokken niet echt met elkaar op, maar hij groette me altijd in de gang, en we zochten elkaar op als we moesten nablijven – Turtell moest namelijk áltijd nablijven. Ik wist dat hij me altijd zou steunen, en dat is fijn om te weten.

'Hoi,' zei ik terwijl ik hem aanstootte.

Hij ging rechtop zitten en keek me verward aan. Turtell was best leuk om te zien, als je het objectief bekeek, maar voor mij was hij altijd meer een soort broer geweest. Dat wil zeggen, een broer die ik mocht, niet de Kleine Etterbak. Hij had kort, bruin haar, brede schouders en donkerbruine ogen, en was een meter vijfentachtig lang. En hoewel ik zijn tatoeages nooit had gezien, wist ik uit beschrijvingen hoe ze eruitzagen. 'Hé, Mad,' zei hij. 'Hoe gaat-ie?'

'Gaat wel,' zei ik. Ik keek naar de klok en begon met aftellen. Omdat ik maar twaalf minuten had, leek het me weinig zin hebben om het hele kraakverhaal uit de doeken te doen. 'Waarom moet je nablijven?'

Hij trok een boos gezicht en staarde naar zijn lessenaar. 'Nergens om,' zei hij.

'Glen,' zei ik, en ik leunde voorover op mijn ellebogen. 'Mij hou je niet voor de gek. Ik heb nog elfeneenhalve minuut.'

'Nee, ik meen het,' zei hij. 'Ik heb niks gedaan. Maar sommige leerlingen hebben aangifte gedaan van kluisjesdiefstal, dus daar word ik natuurlijk automatisch van verdacht.'

'Dat is niet eerlijk.'

'Nee, inderdaad,' zei hij. 'En tot overmaat van ramp zijn Shauna en ik uit elkaar.'

'O, wat erg voor je,' zei ik. Ik hoopte dat het overtuigend klonk. Turtell begon telkens weer iets met hetzelfde meisje, dus het kwam niet echt als een verrassing als het weer uit was. Maar ik luisterde aandachtig naar zijn verhaal over hoe Shauna zijn hart had gebroken en zijn Metallica-cd's had gestolen.

'Glen,' zei ik met een blik op de klok – nog maar één minuut te gaan – 'misschien moet je eens met een ander meisje uitgaan. Een áárdig meisje. Eentje die niet van je steelt. Eentje die er altijd voor je is. Snap je wat ik bedoel?'

Turtell knipperde even verward met zijn ogen en keek me toen strak in de ogen. 'Ja,' zei hij zacht. 'Ik denk dat ik weet wat je bedoelt, Mad...'

'MacDonald?' riep de lerares vanachter haar bureau.

'Ja?' zei ik, en ik griste mijn spullen bij elkaar.

'Je mag gaan,' zei ze terwijl ze een krabbel op mijn nablijfbriefje zette.

'Dank u,' zei ik. 'Tot ziens maar weer,' zei ik tegen Glen, die me om een of andere reden nog steeds aanstaarde. Ik pakte het briefje van de lerares aan en holde naar het theater voor de repetitie, waarvoor ik inmiddels dertien minuten te laat was.

Toen ik de artiestenfoyer binnenkwam om mijn tas neer te zeggen, kwam Ginger Davis met ogen als schoteltjes op me af gerend. Ginger zorgde altijd voor de kostuums en de make-up, en was een van de aardigste, kalmste mensen die ik kende. Behalve als ze dronken was – nota bene van alcoholvrij bier – wat op elk feest met de cast gebeurde.

'O, mijn god, Mad,' zei ze met een zachte souffleurstem. 'Hoe gaat het met je? Iedereen zegt dat je een zenuwinzinking hebt gehad of zoiets. Denk je dat je de hoofdrol nog aankunt? Sarah zei dat je waarschijnlijk niet...'

'Jawel,' zei ik. Ik probeerde me niet aan Ginger te ergeren. Ze kon soms een beetje vervelend doen en véél te veel kletsen, maar ik wilde geen ruzie met haar. Ze was mijn dierbaarste toneelvriendin.

Mijn toneelvrienden waren aardig, maar wilden nog wel eens uit volle borst Jason Robert Brown-nummers aanheffen – in het openbaar! – dus echt dik was ik niet met ze. Bovendien zat ik in de lunchpauze nooit aan de toneeltafel, tenzij ik zin had om mee te zingen met de *West Side Story*. Natuurlijk had ik mijn vrienden en Ginger, en misschien nog wel een paar anderen, verteld hoe ik écht over hen dacht, maar ik zou het hen nooit recht in hun gezicht zeggen. Ze waren te emo om dat te kunnen verwerken.

'Het lukt me wel,' zei ik tegen Ginger. Ik zette mijn tas in de hoek van de artiestenfoyer en ging op zoek naar mijn script. 'Mijn Friendverse is gekraakt, dat is alles. Ik heb al die rotzooi die op mijn profiel stond dus niet geschreven.'

'O,' zei ze. Ze kwam naast me op de grond zitten. 'Heeft Schuyler echt een neuscorrectie gehad? Want dat vermoedde ik al en echt íédereen vraagt het zich af.'

'Ik zou het niet weten,' ontweek ik haar vraag. Terwijl ik door mijn script bladerde, besefte ik pas hoeveel tekst ik had en hoe weinig ik ervan uit mijn hoofd kende. 'Maar ik ben al te laat voor mijn scène, dus...'

'O, dat geeft niet. Volgens mij heeft Sarah jouw deel overgenomen,' zei ze opgewekt.

Geweldig. Daar was ik al bang voor. 'Maar ik...'

'Hoi, Gínger,' zei Mark Rothmann nadrukkelijk terwijl hij
me straal negeerde en langs ons heen naar de deur liep.

'Wat heeft die ineens?' fluisterde ik tegen Ginger zodra hij
buiten gehoorsafstand was.

'Nou,' zei ze, en ze boog zich naar me toe, 'je hebt nogal wat
gemene dingen over onze toneelclub op Friendverse gezet.'

'Wát?' zei ik, verbijsterd over de omvang van de schade die
de kraker had aangericht.

'Ja,' zei ze. 'Je hebt een blog geschreven waarin je al die in
zwart gehulde en voor de lol Tsjechov lezende emo's belachelijk maakt. Je weet wel, het soort dingen dat je wel eens eerder
tegen me hebt gezegd. Toen ik het las, vond ik het wel vreemd,
maar als je profiel gekraakt is, snap ik wel dat...'

Ik schakelde Ginger uit en keek de artiestenfoyer rond. En
inderdaad, een groot deel van de zwart omlijnde ogen van onze
toneelclubleden keken me vuil aan.

'Maar dat heb ik dus niet geschreven,' sputterde ik tegen.
'Het is één groot misverstand!'

'Ik geloof je, Mad,' zei Ginger. 'Maar denk je echt dat je die
rol nog kunt spelen? Omdat Sarah zei...'

'Felia!' riep de assistent-toneelmeester terwijl ze haar hoofd
om de deur stak.

'Ik ben hier,' zei ik, overeind krabbelend.

'We hebben je nodig op het toneel,' zei ze.

'Oké,' zei ik. Ik pakte mijn script en begaf me naar de zaal.
Mijn hoofd tolde.

De kraker had zijn huiswerk goed gedaan. Omdat ik niet
echt met de toneelclub optrok, wist niet iedereen op school dat

ik altijd aan alle toneelstukken meedeed. Toen ik Justin op ons eerste afspraakje vertelde dat ik een Thespiaan was, begreep hij me verkeerd en de verwarring bleef bestaan totdat we later die avond aan het zoenen raakten.

Ik liep door de coulissen het podium op, waar mijn scène gelukkig nog niet was begonnen. Sarah Donner, die in haar 'repetitiekleren' – overall en karakterschoenen – op de eerste rij zat, en haar lange bruine haar met een bandana in een paardenstaart had gebonden, nam me met samengeknepen ogen op. Kennelijk had ze gehoopt dat ik niet zou komen opdagen.

Dat was misschien wel verstandiger geweest. Mijn eerste scène deed ik met Mark Rothmann, die mijn broer Larry speelde. Nadat ik drie keer om mijn regel had moeten vragen, zei meneer Allan dat ik beter even het script erbij kon pakken. Terwijl ik met een vuurrood hoofd mijn boek pakte, zag ik Sarah met een zelfvoldaan gezicht toekijken. Ze maakte een tevreden indruk. Of verbeeldde ik me dat maar?

Na de repetitie ging ik doodmoe en chagrijnig even naar Stubbs voor een snelle, verkwikkende latte. Ik wilde niets liever dan een heet bad nemen en alles vergeten: de kraker, Friendverse, het nablijven, de wraaklustige invalster, de toekomstige koningin van het bal.

Toen ik eindelijk onze oprijlaan op reed, zag ik een onbekende terreinwagen voor onze deur staan. Op dat moment herinnerde ik me pas weer dat mijn moeder iets had gezegd over op tijd thuis zijn. Maar ze had kunnen weten dat ik zo vroeg in de ochtend niks opneem omdat ik pas na mijn ochtendlatte bij Stubbs wakker word.

Ik liep het huis binnen. Het viel me op dat het schoner was dan anders en dat de klassieke cd, die alleen werd gedraaid als er bezoek was, op stond. Bovendien bleek er niemand in de keuken en de studeerkamer te zijn.

'Hallo?' riep ik terwijl ik in de hal mijn tas in een hoek kwakte. Ik hoorde gelach uit de eetkamer komen en liep erheen. Toen ik de deur openduwde, viel het gesprek stil. Ik keek de kamer rond en hoorde mijn moeder zeggen: 'Daar heb je Madison eindelijk. Jullie kennen haar natuurlijk al!'

Aan onze eettafel zaten twee oudere mensen die ik kende van de Galapagosreis en, op de stoel waar ik altijd zat, zat de best-wel-leuke-jongen.

7

Lied: *The minute I met you* – New Found Glory
Quote: 'Op de achtergrond goot Fate stiekem lood in
de bokshandschoen.' – P.G. Wodehouse

Ik kwam erachter dat de-best-wel-leuke-jongen een naam
had: Jonathan. Jonathan Ellis. En dat hij meer dan best-wel
was. Leuk, bedoel ik.

Bovendien bleek het erg moeilijk om kip te eten met een
best-wel-meer-dan-best-wel-leuke-jongen naast je terwijl Klein
Etterbakje je de hele tijd zit te schoppen onder de tafel.

'Madison?'

Toen ik van mijn bord opkeek – zolang ik me op mijn bord
concentreerde, lukte het me aardig mijn vork in een rechte lijn
naar mijn mond te brengen – zag ik dat mijn moeder me verwachtingsvol aankeek.

'Eh, wat?' zei ik. Ik merkte dat Jonathan naar me keek en
voelde dat ik bloosde. Verbeeldde ik het me, of glimlachte hij?
Op een ik-probeer-niet-in-lach-te-schieten-manier.

'Mevrouw Ellis vroeg je iets,' zei mijn moeder, duidelijk
geïrriteerd nu.

'O,' zei ik. Ik keek mevrouw Ellis over de tafel aan. Omdat ik al twintig minuten tegenover de Ellissen zat, had ik ze inmiddels herkend van de vakantie: mevrouw Ellis was de-mevrouw-die-altijd-veel-te-veel-vragen-stelde-op-expedities en meneer Ellis was de-man-die-altijd-zijn-eigen-antibacteriële-zeep-bij-zich-had. Jonathan was, natuurlijk, de-best-wel-leuke-jongen-die-altijd-foto's-maakte. 'Sorry,' zei ik tegen mevrouw Ellis. 'Wat zei u?'

Mevrouw Ellis legde haar vork neer en keek me glimlachend aan. 'Ik vroeg in welke klas je zit. Je zit toch op Putnam High?'

'Ja,' zei ik, blij dat het een vraag was die ik makkelijk kon beantwoorden. 'Ik zit in de vijfde klas.'

'O,' zei ze. Toen knikte ze en pakte ze haar vork weer op. Er viel een stilte.

Omdat ik het gesprek wilde redden, wendde ik me tot Jonathan, zonder hem echt aan te kijken. 'Zit jij ook op Putnam?' vroeg ik, hoewel ik wist dat het antwoord nee was. Putnam High was groot, maar mijn vriendinnen en ik maakten er altijd een sport van om alle leuke jongens op school in kaart te brengen.

'Stanwich High,' zei hij, doelend op een stad nabij Putnam.

'O,' zei ik intelligent, 'gaaf.'

'Ik zit in de zesde,' ging hij verder.

'Hé, wat geweldig!' reageerde ik veel te enthousiast. Weer zag ik die ik-probeer-niet-in-de-lach-te-schieten-glimlach. Gelukkig begon meneer Ellis toen over de zoveelste golfpartij, en nog voordat ik mijn blik weer op mijn bord kon richten, zag ik mijn vaders blik op oneindig gaan.

Nadat de volwassenen de golfwedstrijden, de huizenmarkt, de schitterende bootreis, de koers van de dollar ten opzichte van de euro, en het toeval dat we elkaar in Ecuador waren te-genkomen terwijl we elkaar in Connecticut nooit hadden ont-moet, hadden besproken, leek het gesprek dood te bloeden.

'Wat hebben we als toetje?' vroeg Travis op een verwend toontje toen de borden waren afgeruimd. Hij trok aan de hals van zijn poloshirt die hij ongetwijfeld van mijn moeder had moeten aantrekken.

Ik zag mijn moeder wit wegtrekken, maar omdat ze altijd de rust zelve is, deed ze ook dit zo subtiel dat het waarschijnlijk niemand opviel.

Ze keek naar mij, glimlachte en zei met lichte wanhoop in haar stem: 'Ik heb sinds we terug zijn nog geen tijd gehad om boodschappen te doen, dus misschien kunnen Jonathan en jij ergens ijs gaan halen?'

Ik zag aan het gezicht van mijn moeder dat het geen vraag was.

Hoe dan ook, het voordeel was dat ik niet langer naar al die vervelende golfverhalen hoefde te luisteren. Maar waarom moest Jonathan mee? Ik keek zo voorzichtig mogelijk opzij om zijn reactie te peilen.

Hij legde zijn servet naast zijn bord en stond op, dus ik ging ervan uit dat hij het niet echt erg vond. 'Natuurlijk,' zei hij.

Ik liep met hem de eetkamer uit, pakte mijn trui en tas uit de hoek van de hal, waar ik hem bij binnenkomst had neerge-kwakt en liep naar mijn auto, die ik nogal slordig voor ons huis had geparkeerd.

'Leuke Jetta,' zei Jonathan terwijl hij op de passagiersstoel schoof.

Ik stapte ook in en deed mijn veiligheidsgordel om. 'Judy,' zei ik automatisch, totdat ik besefte hoe idioot dat klonk. 'De, eh, naam van de auto, bedoel ik.'

'Judy,' zei hij bedachtzaam. 'Judy... Jetta-son?'

'Precies,' zei ik verrast. Ik keek opzij, en nog voor het automatische licht uitging, zag ik hem voor het eerst van dichtbij. En van dichtbij was hij nóg leuker. Hij was lang – zeker een meter negentig – en omdat ik zelf ook lang ben, val ik op lange jongens. Hij had ogen die het midden hielden tussen licht- en hazelnootbruin, maar omdat het automatische licht al dimde, kon ik het niet precies zien. Hij had dik en een beetje slordig, donkerbruin haar dat krulde aan de uiteinden. Hij was gekleed in een stijl die Lisa emo zou noemen, wat op het eerste gezicht – een schoudertas vol buttons en beige All Stars – leek te kloppen. Maar met zijn overhemd en stoere spijkerbroek gaf hij een ballerige draai aan zijn emo-look, wat ik wel spannend vond.

Ik keek gauw voor me uit, startte de motor en reed de oprijlaan af. Justin, bracht ik mezelf in herinnering.

'Wie is dit?' vroeg Jonathan.

Ik schrok op uit mijn gepeins en zag hem met een frons naar mijn iCar staren.

'Eh, Stockholm Syndrome,' zei ik terwijl ik het volume wat zachter draaide. Toen hij bleef fronsen, trok ik mijn wenkbrauwen op. 'Heb je soms iets tegen Zweedse rockgroepen, Jonathan?'

'Nathan,' zei hij kortaf. 'Maar iedereen noemt me Nate. Alleen mijn ouders noemen me Jonathan.'

'Nate,' zei ik om te horen hoe het klonk. Leuk, vond ik. Op een of andere manier paste het beter bij hem. 'Nate the Great.'

'Inderdaad,' zei hij met een zucht. Ik begreep dat hij dat al vaker had gehoord.

'Nate the Great,' zei ik, gravend in mijn geheugen, 'de detective-jongen.'

'Nee, dat was Encyclopedia Brown,' zei hij. 'Maar je komt aardig in de richting.'

'Zo is dat.' Ik begon me zorgen te maken over het volgende nummer. Als hij al moeite had met Stockholm Syndrome, die tot de betere muziek op mijn iCar behoorde, dan kon ik wel raden wat hij van Kelly Clarkson zou vinden.

'Dus jij heet Madison?' vroeg hij.

'Ja,' zei ik. 'Maar mijn vrienden noemen me Mad of Mads.'

'Ik snap het.'

'Ik bedoel, zo noemden ze me,' zei ik na een korte stilte, die werd versterkt door Olafs gevoelvolle gejammer. 'Toen ik nog vrienden had.'

Ik reed de parkeerplaats van ijssalon Gofer Ice Cream op, die gehuisvest was in hetzelfde complex als Putnam Pizza, waar Dave werkte. Ik keek om me heen, maar zag zijn auto niet staan, dus ik ging ervan uit dat hij vandaag niet werkte. Toen ik de auto parkeerde, begon het volgende nummer op mijn iCar.

'Is dit Kelly Clarkson?' vroeg Nate verbijsterd.

'Eh, nee,' zei ik. Ik zette snel de motor af, stapte uit, sloot de auto af en liep achter Nate aan Gofer in terwijl ik me moest inhouden niet naar zijn lekkere kontje in zijn donkere spijkerbroek te staren.

Ik bestelde wat mijn moeder altijd in de vriezer had: halve liters vanille- en chocolade-ijs en frambozen- en citroensorbetijs. Voor de terugweg nam ik een hoorntje met hazelnootijs. Tot mijn verrassing bestelde Nate voor zichzelf een hoorntje met chocolade-muntijs. Pas toen ik de ijssalon uit liep, besefte ik dat ik een bekertje had moeten bestellen. Ik kon onmogelijk rijden en tegelijk mijn ijs eten.

Wat was ik toch een sukkel. Ruth had dit ongetwijfeld voorzien en een beker besteld. Sterker nog, ze had waarschijnlijk niets voor zichzelf besteld en was meteen met het ijs naar huis gereden omdat er mensen zaten te wachten op het dessert. Nou ja.

Buiten de ijssalon was een klein terras met tafels en banken. 'Zullen we even gaan zitten? Ik kan met dit ijs niet rijden.'

'Mij best,' zei Nate, en we gingen naast elkaar – maar niet té dicht – op de bank zitten. 'Wat bedoelde je net?' vroeg hij, nadat we even zwijgend van ons ijs hadden gegeten. 'Toen je het over je vrienden had?'

'Mijn vrienden?' vroeg ik, met mijn mond vol heerlijk hazelnootijs.

'Je zei dat je vrienden je Mad of Mads noemden... toen je nog vrienden had.' Hij keek me met opgetrokken wenkbrauwen aan terwijl hij aan zijn ijs likte. 'Expliceer je nader.'

'O, dat,' zei ik luchtig, in een poging niet in katzwijm te vallen voor zijn eindexamenvocabulaire. 'Dat is een lang verhaal.'

'Het is een groot ijsje,' zei hij. Hij gebaarde naar zijn smeltende chocolade-muntijs.

'Tja,' zei ik bedachtzaam. Het voelde een beetje ongemakkelijk om zoiets persoonlijks te vertellen aan iemand die eigenlijk een vreemde voor me was. En een hoop details waren nogal beschamend voor mij. Maar ik wilde er toch over praten, en het liefst met iemand die er niet bij betrokken was. Bovendien had Nate iets vertrouwenwekkends over zich. 'Oké,' zei ik. Ik nam een hap van mijn ijs en stak van wal over het Friendverse-drama.

'Nou,' concludeerde ik een paar minuten later terwijl ik wanhopig met servetten mijn smeltende ijs probeerde op te vangen. Ik had nauwelijks tijd gehad om van mijn ijs te eten, omdat ik constant aan het woord was geweest. Maar Nate had zijn ijs al bijna op en knabbelde aan zijn wafelhoorntje. 'Zo zit het dus. Om een lang verhaal kort te maken...'

'Te laat,' onderbrak Nate me.

'Pardon?' zei ik beledigd. Ik dronk wat ijs uit mijn hoorntje.

'Nee,' zei hij snel. Kennelijk had hij mijn beledigde gezicht gezien. 'Het is een quote. Uit *Clue*.'

'*Clue*? Of bedoel je het bordspel Cluedo?'

'Nee, de film.'

'Hebben ze een film over Cluedo gemaakt? Een soort documentaire waarin mensen het spel spelen?' Ik nam nog een slokje ijs.

'Nee,' zei hij weer, serieuzer nu. '*Clue* is een klassieke komedie. Die moet je echt gezien hebben, als je het mij vraagt.' Hij stak het laatste stukje wafel in zijn mond en veegde zijn handen af. 'Het verbaast me dat je die film niet kent. Die moet je echt een keer zien.'

'Wie weet,' zei ik een beetje geërgerd. Ik bedoel, hij hoefde niet te doen alsof ik een culturele analfabeet was, alleen omdat ik een of andere obscure film niet had gezien. Justin had me nooit films aangeraden.

Waarschijnlijk omdat Justin alleen van films hield waarin om de vijf minuten iets ontplofte of vrouwen zonder duidelijke reden uit de kleren gingen.

'Maar goed, dat is dus het hele verhaal,' zei ik terwijl ik me afvroeg waar ik met mijn plakkerige servetten heen moest.

Nate was even stil, maar nam toen mijn servetten aan en gooide ze in de prullenbak die vlak naast hem stond. 'Ik snap niet waarom je daar zo'n probleem van maakt,' zei hij ten slotte. 'Van die hele kraakaffaire, bedoel ik.'

Ik staarde hem aan. Misschien had ik me te simpel uitgedrukt en het niet goed *geëxpliceerd*. 'Omdat het een probleem is,' zei ik langzaam. 'Omdat ik nu geen sociaal leven meer heb. Omdat ik nu verantwoordelijk word gehouden voor de breuk tussen mijn vrienden. Omdat iedereen me haat. Omdat iemand mijn identiteit heeft gestolen en ook nog eens mijn naam niet fatsoenlijk kon spellen.'

'Je profiel is gekraakt,' zei hij. 'Dat heeft helemaal niks met jou of wie je bent te maken.'

Had hij het niet begrepen? Toch had hij de indruk gewekt te luisteren. Per slot van rekening had hij me behoorlijk indringend aangekeken. 'Natuurlijk heeft het te maken met wie ik ben. Dat profiel is mijn leven!'

Nate schudde zijn hoofd en leunde achterover tegen de rugleuning van de bank. 'Nee, dat is het niet,' zei hij. 'Het is een site met je favoriete bands en foto's van jezelf en je vrienden.'

'Het is meer dan dat,' zei ik. Ik hoorde dat mijn stem omhoog ging. 'Mijn vriendje heeft het om mijn profiel uitgemaakt. Hij geloofde dat ik hem had gedumpt. En daarom heeft hij nu verkering met de toekomstige koningin van het bal. Maar dat is een ander verhaal.'

'Als hij er geen probleem mee had dat hij via Friendverse werd gedumpt, zonder daar eerst met jou over te praten, ben je zonder hem waarschijnlijk beter af.'

Ik schudde mijn hoofd. Dat zei Nate omdat hij niet wist hoe lekker Justin zoende of hoe goed hij eruitzag zonder T-shirt – dingen waarvan hij gelukkig ook niet op de hoogte was. 'Je snapt het niet,' zei ik. Ik dronk de ijssoep op en begon aan mijn hoorntje.

'Nee, inderdaad,' beaamde hij. Hij boog zich iets naar me toe en keek me recht in de ogen.

Ik geef toe dat mijn hart een opgewonden sprongetje maakte, zoals het niet meer had gedaan sinds Justin en ik voor het eerst vrij... ik bedoel, uitgingen. In het licht van de muggen-lamp zag ik dat Nates ogen een lichte amberkleur hadden. En wat rook hij lekker. Niet naar eau de cologne, zoals Justin, maar naar jongenszeep en kaneelkauwgom en chocolade-muntijs.

'Ik heb ook een profiel op Friendverse,' zei hij, 'maar dat is niet mijn leven. Ik kijk er maar eens in de twee weken naar. En als mijn profiel zou worden gekraakt, zouden mijn vrienden denken dat het één grote grap was. Ze zouden het nooit gelo-ven.'

'Nou ja, niet iedereen geloofde het,' zei ik langzaam. 'Mijn beste vriendin geloofde niet dat ik het had gedaan. En nadat ik het aan mijn twee andere beste vriendinnen had verteld, ge-loofden ze me ook.'

'Misschien zou je daar je conclusies uit moeten trekken,' zei hij. Hij hield mijn blik nog even vast, en mijn hart sloeg op hol. Maar dat kwam waarschijnlijk van de suikershot.

'We kunnen beter teruggaan,' zei ik. Ik verbrak ons oogcon-tact en keek naar mijn *Gofer to Go...fer!*-plastic zak. 'Anders is het ijs straks gesmolten.'

'Oké,' zei hij. We liepen naar de auto, maar toen ik het por-tierslot opende, draaide hij zich om naar Gofer en haalde een kleine camera uit zijn zak. Hij bracht hem naar zijn oog en richtte de lens op de grote glanzende ijshoorn voor de ijssalon. Hij nam een paar foto's, borg zijn camera op en keek me aan.

'Waarom deed je dat?' vroeg ik.

Nate haalde zijn schouders op en keek voor het eerst die avond een beetje verlegen. 'Geen idee,' zei hij. 'Ik denk dat ik een zwak heb voor mooie dingen.'

Toen stapte hij in de auto. Ik staarde naar de knipperende neon-ijshoorn tegen de donkere lucht en vroeg me af wat daar nu zo mooi aan was.

Ik gaf het op en stapte in. Toen ik de auto startte, zette hij de muziek harder en wees op het oplichtende schermpje van de iCar. 'Ik wist het!' zei hij met een lach. 'Kelly Clarkson!'

Later, toen we thuis waren aangekomen en ik het drukke avondverkeer de schuld had gegeven van onze vertraging, de Ellissen had uitgezwaaid, mijn vader had geholpen met de afwas en *Clue* had toegevoegd aan mijn Netflix-reserverings-lijst, logde ik in op Friendverse.

Madisons Inbox
Vriendenverzoek: 1
North by NE/Nate Ellis wil je vriend zijn!

friendverse... for your galaxy of friends

North by NE
heeft een suikerkick

Man
18 jaar oud
Stanwich, Connecticut
Verenigde Staten

Status: Single

Lied: *Jenny & the Ess-Dog* –
Stephen Malkmus
Quote: 'Ik haat citaten. Vertel me
wat je weet.' – Emerson

Laatste login: 7/4

Top 8:

evan

em-in het
kwadraat

ze noemen
me Mr. Gibbs

Brian (niet Ed)
McMahon

Melissa

Casey!
In de disco

Dani/Californië

nickVerse

Nate Ellis: Blogberichten

IJs
Met Charlie Dee naar de Galapagoseilanden
De beste emo-tips
Scheiden doet lijden

Info over mezelf

Algemeen:
Dagblad, Fonds, Belang, Overleg

Muziek:
MU-330, Pop Girls Etc, Pavlov's Dog, Fruitless Gourd,
Johnny Cash, Bob Dylan

Films:
Terrence Tallick, Robert Altman, Noah Baumbach, Wes
Anderson, Whit Stillman, Woody Allen, Francois Truffaut,
Serge Gainsbourg, Billy Wilder, Alfred Hitchcock

Televisieprogramma's:
Ik kijk geen televisie

Boeken:
Bukowski, Wodehouse, Carver, Whitman, Gorevitch, Didion,
Sedaris

Idolen: Graven

School: Middelbare school
Geslaagd: Over twee maanden...

Vrienden:
185

Reacties
Weergegeven: 6 van 55 reacties

 evan
Leuk dat je terug bent, dude. Laten we z.s.m. een su-
perbaconsandwich gaan scoren bij Stanwich Sandwich.

 ze noemen me Mr. Gibbs
mooi profiellied. Krijg ik nu gauw mijn cd weer terug?

 em-in het kwadraat
Hé, skattie, ik heb je gemist! Hoe was Peru? Bel me!

 Brian (niet Ed) McMahon
Je moest eens weten, jongen – totale meltdown!
Tsjernobyl was er niks bij. Ik bel je zodra ik weer de
deur uit mag – over een jaartje of tien?

 Melissa
Was gisteravond nog in ons stamcafé & moest aan
je denken. Hoe was 't?

 nickVerse
Wáár ben je op vakantie geweest?

8

'Hoe was zijn profiel?' vroeg Schuyler toen we voor haar kluisje stonden. Het was dinsdagochtend, en omdat ik een vrij uur had, konden we Nates profiel bespreken terwijl zij achter haar cijfercode probeerde te komen – een regelmatig terugkerend probleem. Schuyler vergat haar code zo ongeveer eens per week. Tegenwoordig schreef ze hem op, maar vervolgens vergat ze waar ze het papiertje had gelaten. Ik leunde tegen het kluisje naast het hare. De avond ervoor had ik Nates profiel uitgebreid bestudeerd en alle details telefonisch aan Ruth en Lisa doorgegeven. (Het zou te opvallend zijn als mensen uit mijn Top 8 hem ineens vriendenverzoeken gingen sturen.) Ruth had onder de indruk geleken, maar aan Lisa had ze weinig gehad, want zodra ze hoorde dat hij fan van Truffaut en Gainsburg was, zei ze dat hij een goede smaak had en hing ze op om de namen op haar eigen profiel te zetten.

Dat zijn status 'single' was, deed me meer dan ik had ver-

99

wacht. En ook dat we een paar schrijvers en regisseurs gemeen hadden. De rest van zijn profiel was behoorlijk intimiderend, en ik vond het een raar idee dat hij míjn profiel nu ook kon zien omdat ik zijn vriendenverzoek had geaccepteerd. Vreemd genoeg vroeg ik me steeds af wat hij ervan zou vinden. Ik kon het niet helpen, maar als ik hem in gedachten naar mijn Friendverse-profiel zag kijken, kreeg ik kriebels in mijn buik.

Waar ik ook over piekerde, was zijn meest recente blogbericht, getiteld 'ijs'. Hij moest het meteen na thuiskomst hebben gepost. Er stond slechts:

je verwacht het niet
maar dan is het ineens feest
munt-choco-ijs

Het kostte me vrij lang (zeg het maar niet tegen mijn leraar Engels van vorig jaar) voordat ik doorhad dat dit geen slecht geformuleerde blog was maar een haiku. Ik ging ervan uit dat het handelde over wat er in de titel stond, namelijk 'ijs'. Toch had ik er veel langer naar gekeken dan de tijd die ik normaal nodig heb om zeventien lettergrepen te lezen.

'Mad?' drong Schuyler aan.

Ik schrok op uit mijn gepeins. 'Sorry,' zei ik. 'Het was een goed profiel. Maar ook wel een beetje... intimiderend. Je weet wel. Hij lijkt me erg slim en houdt van rare muziek waarvan ik nog nooit heb gehoord.'

'Maar jij bent ook slim, Mad,' zei Schuyler. 'En jij houdt ook van rare muziek!' voegde ze er bemoedigend aan toe. 'Maar hoe moet het nu met... eh... Justin?'

'Hoe bedoel je?'

'Ik bedoel,' zei ze terwijl ze weer aan haar cijfercombinatie draaide, 'ga je hem proberen terug te krijgen of stort je je op die leuke eindexamengast? Of op nog iemand anders?'

'Hij heet Nate,' bracht ik haar in herinnering. 'Natuurlijk ga ik proberen Justin terug te krijgen! Ik zal hem duidelijk maken dat we bij elkaar horen.' Ik had het nog niet gezegd, of ik voelde een lichte twijfel knagen. Hoorden we echt wel bij elkaar? Maar ik zette het van me af. Mijn andere schildpadje, dacht ik bij mezelf. 'En over wie anders zouden we het dan nog moeten hebben?' vroeg ik verbaasd.

Schuyler scheen me niet te horen. Ze hield op met draaien en staarde wezenloos naar haar cijfercombinatie. 'Ik zal weer naar de secretaresse moeten.'

'Ik loop wel met je mee.' We liepen samen door de gang. Leerlingen wezen me nog steeds fluisterend na, maar minder opgewonden dan de dag ervoor. Dat kon te maken met het feit dat Jimmy – wiens nieuwe Friendverse-naam 'Liz is een hoer' was – en Liz – die haar naam had veranderd in 'Jimmy heeft een piepkleine...' – een hoop berichten over elkaar hadden gepost, die me meer informatie verschaften over hun relatie en bepaalde delen van Jimmy's anatomie dan ik wilde weten.

De kamer van de secretaresse was leeg, op de secretaresse en Glen Turtell na, die op zijn gebruikelijke plek voor de kamer van rector Trent zat te wachten. Turtell begroette ons met 'hé', keek me iets langer aan dan gewoonlijk, en ging toen verder met het kerven van zijn naam in de houten bank, wat natuurlijk het domste was wat hij kon doen, want hij bekende zijn overtreding al terwijl hij het deed.

Stephanie, de secretaresse van meneer Trent, zat aan haar bureau. Toen ze Schuyler zag, zuchtte ze. 'Ben je je code weer vergeten?'

'Ja,' zei Schuyler schaapachtig. 'Sorry.'

'Ik had je toch gezegd dat je je code moest opschrijven?' zei Stephanie.

'Dat heb ik ook gedaan,' sputterde Schuyler tegen. 'Iedereen zegt dat tegen me, net als Madison hier, en dat heb ik ook gedaan, maar ik kan het papiertje niet meer terugvinden.'

Stephanie keek haar belangstellend aan. 'Ben jij Madison?' vroeg ze.

'En toen heb ik de code in mijn telefoon gezet,' ging Schuyler verder, alsof ze Stephanie niet had gehoord, 'maar die heb ik uit het raampje van mijn auto gegooid...'

'Madison MacDonald?' vroeg Stephanie.

'Eh, ja,' zei ik. Ik begon nerveus te worden. Anders dan Schuyler en Turtell, kwam ik bijna nooit bij de secretaresse, en dat wilde ik graag zo houden.

'Een ogenblikje, mejuffrouw Watson,' zei Stephanie tegen Schuyler. 'Alle codes zijn opgeslagen in een beveiligd gegevensbestand op meneer Trents computer. We hebben problemen met kluisjesdiefstal.' Ze keek met een boze blik naar Turtell, die met een frons terugkeek. 'Niet weggaan, Madison,' zei ze tegen mij terwijl ze meneer Trents kamer binnenging.

Schuyler zette grote ogen op en wendde zich tot mij. 'Wat heb jíj uitgespookt?'

'Wegwezen, jongens,' raadde Turtell aan. 'En niet meer achterom kijken.'

'Ik heb niks gedaan,' zei ik. In gedachten ging ik koortsachtig na of ik misschien onbewust een schoolregel had overtreden. Maar toen bedacht ik dat het wel eens te maken kon hebben met de leerlingenraad. Door Connors hertelling was ik niet aanwezig geweest bij de eerste ledenvergadering. Meneer Trent wilde me vast officieel verwelkomen.

'Hier heb je je code,' zei Stephanie terwijl ze Schuyler een vel papier aangaf. 'En nu niet meer verliezen.'

'Ik zal er goed op letten,' beloofde Schuyler. Ik zag haar blik naar de klok boven Stephanies bureau gaan. 'Mag ik een verlofbriefje, want ik kom nu te laat in de les.'

'Shy,' zei ik snel, in de hoop nog wat info uit haar te krijgen voor ze vertrok, 'wat bedoelde je met...'

'Madison MacDonald!' Meneer Trent stak zijn hoofd om de deur en gebaarde me binnen te komen. 'Kun je even binnenkomen?' Toen wees hij naar Turtell. 'Jou spreek ik nog, jongeman.'

'Maar ik was hier eerst,' sputterde Turtell tegen.

'Madison,' zei meneer Trent weer, en hij verdween in zijn kamer.

Ik wuifde Schuyler gedag en ging zijn kantoor binnen. Ik was maar één keer eerder bij de rector geweest, toen ik naar aanleiding van een misverstand sportbegeleider van een jongensgroep werd, wat ik vanzelfsprekend weigerde. In de afgelopen twee jaar leek er weinig veranderd; het was er nog altijd donker en er hing een intimiderende sfeer. Maar anders dan de vorige keer hingen er nu posters van zwevende arenden, met de tekst: WAAROM RENNEN ALS JE OOK KUNT VLIEGEN?

Daar kon ik geen chocola van maken. Tenzij het een inspirerende poster voor levende arenden moest voorstellen.

Ik ging op de stoel voor meneer Trents bureau zitten en keek hem aan terwijl hij zijn vingertoppen tegen elkaar drukte en me fronsend aankeek.

'Ik heb een vrij uur,' zei ik, om de stilte te verbreken. 'Ik ben niet aan het spijbelen ofzo.'

'Mejuffrouw MacDonald,' zei hij terwijl hij een map uit zijn bureaula haalde, 'er is me helaas iets... onder de aandacht gebracht.'

'O,' zei ik. Ik twijfelde ineens of hij me welkom wilde heten in de leerlingenraad.

Toen hij de map opende, zag ik tot mijn schrik een kopie van mijn gekraakte profiel, compleet met spelfouten natuurlijk.

'Hoe... hoe komt u dáár aan?' stamelde ik.

'Ik neem aan dat je weet dat alle leerlingen die zich aanmelden bij deze netwerksite zich moeten aansluiten bij het profiel van Putnam High School?'

Er begon vaag een belletje te rinkelen. Toen ik lid werd van Friendverse, had ik van school een bericht gekregen met de uitnodiging het ongelooflijk duffe PHS-profiel te accepteren. Kennelijk wilde het schoolbestuur zo voorkomen dat leerlingen fraude pleegden met proefwerken. Maar dat soort dingen had ik niet gedaan.

'Ja,' antwoordde ik lijzig.

'Welnu,' zei meneer Trent terwijl hij door mijn geprinte profiel bladerde, 'iemand heeft me op jouw profiel gewezen.'

'Wacht,' zei ik snel. 'Mijn profiel is gekraakt toen ik op vakantie was. Ik heb dat niet zelf geschreven.' Ik zuchtte inwendig en vroeg me af hoe vaak ik dat nog moest uitleggen. 'Als u nu op mijn profiel zou inloggen, zult u zien dat het weer is zoals het was.'

'Hmm,' zei hij, en hij schreef iets op een vel papier in de map. 'Dat zal ik nakijken. Maar dit is zorgwekkend. Zeer zorgwekkend.'

'Dat ben ik helemaal met u eens!' beaamde ik. 'Ik weet ook niet hoe iemand mijn profiel heeft kunnen kraken.' Toen ik mezelf dat hoorde zeggen, besefte ik dat ik daar eigenlijk nog helemaal niet over had nagedacht. Hoe hád iemand in mijn profiel kunnen komen?

'Oké,' zei hij terwijl hij de map dichtklapte. 'Ik zal de zaak doorlichten. Maar zoals Connor Atkins al zei, is dit,' hij hield de map nadrukkelijk omhoog, 'onacceptabel voor een lid van de leerlingenraad.'

Ik was mijn spullen al aan het verzamelen, maar schoot weer overeind. 'Connor Atkins?' vroeg ik. 'Heeft hij u op mijn profiel gewezen?'

'Ik weet niet of ik dat openbaar mag maken,' zei meneer Trent stijfjes terwijl hij de map in zijn la legde, 'maar hij heeft me er wel terecht op gewezen dat onze leerlingenraad het beste van onze school vertegenwoordigt en...'

'Natuurlijk,' zei ik, maar inwendig kookte ik van woede. 'Maar zoals ik al zei, is mijn profiel gekráákt. Ik heb er niets mee te maken.'

'We zullen zien,' zei meneer Trent. Hij pakte een andere map, die zo dik was als een telefoonboek, sloeg hem open en zuchtte. 'Wil je tegen Glen Turtell zeggen dat hij binnen kan komen?'

'Natuurlijk.' Ik was nog altijd woedend op Connor. 'Bedankt, meneer Trent,' zei ik terwijl ik zijn kamer verliet. Ik wist niet precies waarvoor ik hem bedankte – dat ik misschien geen klassenvertegenwoordiger meer mocht zijn omdat mijn profiel was gekraakt? En dat terwijl ik er zo hard voor had geknokt.

Ik zwaaide Turtell gedag, die me aanraadde 'te strijden voor mijn rechten' en 'niet te buigen voor de machthebbers'. Ik knikte, stak solidair een vuist in de lucht en liep de gang op. Mijn hoofd tolde.

Stel dat het geen toeval was dat Connor meneer Trent op mijn profiel had gewezen?

Stel dat hij degene was die me had gekraakt?

Hij stond natuurlijk al op mijn lijstje, maar ik had hem nooit echt als verdachte gezien. Ik kon me niet voorstellen dat hij zo achterbaks kon zijn. Connor hamerde zelf immers altijd op de regels.

Maar ja, bedacht ik, dat gold ook voor Mussolini.

Ik sms'te Ruth wat er was gebeurd. Ze zat in de klas, maar kon het lezen zodra ze klaar was. Toen haalde ik mijn lijstje uit mijn tas en begon te schrijven.

Mads Friendverse-kraker/Mogelijkheden:
1. *Kittson Pearson – Ik denk dat zij het was!*
   Motief: wilde Justin, kreeg hem zodra ze mij had weggewerkt. ☹
2. *Connor Atkins – Hij zou het gedaan kunnen hebben!*
   Probeert me uit de leerlingenraad te werken omdat de hertelling hem nog steeds dwarszit. Verbitterd omdat ik niet met hem uit wilde?

Ik vouwde mijn lijstje op en keek op mijn horloge. Hoewel ik over twintig minuten Latijn had, wilde ik eerst weten hoe de kraker in mijn profiel had kunnen inbreken. Gewapend met een cola light ging ik op zoek naar Frank Dell – sorry, Dell.

'Wil je dat blikje bij de apparatuur vandaan houden?' vroeg Dell met een bezorgde blik op mijn cola. 'Je moest eens weten hoeveel computers ik moet repareren omdat er per ongeluk frisdrank overheen is gegaan.'

Ik pakte mijn blikje cola light op en drukte het tegen mijn borst. Dell werkte vanuit een kelderkamertje dat ooit een voorraadkast moest zijn geweest, want het was een kleine, donkere ruimte die vaag naar citroenzeep rook. Hij stond vol laptops, monitors, toetsenborden, ontmantelde harde schijven en apparatuur waarvan ik niet eens wist wat het was. Het stikte er van de draden en zo nu en dan piepte of knipperde er iets.

Formeel volgde Dell het keuzevak informatica, maar iedereen wist hoe het werkelijk zat: meneer Trent had bedacht dat het goedkoper was om computerstoringen te laten repareren door een leerling dan door een deskundige. En dus kreeg Dell twee lesuren per dag vrij om het computersysteem op onze school draaiende te houden.

Dell wekte de indruk alsof hij in zijn kelderlab woonde, of in elk geval ergens waar geen zonlicht kwam. Hij was klein en bleek en droeg bijna altijd zwart. Ik kon me niet herinneren hem ooit zonder een zwarte sweater met capuchon te hebben gezien. Bovendien had hij slordig, touwachtig haar dat alle kanten op stond, en dat zonder behulp van gel.

'Maar waarvoor ik kom,' begon ik.

'Je Friendverse is gekraakt,' zei hij zonder op te kijken van het toetsenbord waarop hij razendsnel aan het typen was.

'Inderdaad!' zei ik, opgelucht dat ik niet weer alles hoefde uit te leggen. 'Maar hoe weet je dat?'

'Er wordt gekletst, Madison.' Hij hield op met typen en keek me aan. 'Ik bedoel, je hebt Connecticut verkeerd gespeld.'

'Dat heb ík niet gedaan,' bracht ik hem in herinnering, 'maar de kraker. Ik bedoel, hoe kan iemand in mijn Friendverse-profiel zijn gekomen?'

'Dat is niet zo moeilijk,' zei hij. Hij begon weer te typen. 'Ik neem aan dat je alleen een standaardbeveiliging hebt?'

'Eh, ja?' Hoewel ik meer verstand van computers had dan Ruth, kon ik alleen de meest eenvoudige basisdingen uitvoeren, en als er iets met mijn laptop aan de hand was, liet ik hem liever door iemand anders repareren dan dat ik er zelf mee aan de slag ging.

'Dan is dat waarschijnlijk het probleem,' zei hij. 'Ik heb zelf een 128 hexcode op mijn wachtwoorden, en dat doe ik ook voor meneer Trent. Dat is het enige wat echt veilig is.'

'Kan dat ook op mijn computer?'

'Tuurlijk,' zei hij. Hij liep naar een laptop en startte hem op. 'Was je wachtwoord makkelijk te raden, denk je?'

'Niet echt,' zei ik. Ik dacht aan de eindeloze wachtwoord-mogelijkheden.

'Tja,' zei hij schouderophalend. 'Het is niet eenvoudig in te breken in Friendverse en profielen van anderen te veranderen. Er bestaan firewalls waar ik niet eens doorheen kom.'

'Heb je dat wel eens geprobeerd?'

'Natuurlijk,' zei hij doodernstig. 'De enige manier om be-kendheid in dit werk te krijgen, is mensen te wijzen op de zwakke plekken in hun computersysteem. Vervolgens kun je beveiligingstips geven. Maar Friendverse is een degelijk sys-teem.'

'Dus iemand moet mijn wachtwoord hebben geraden?' vroeg ik verbaasd. Ik was teleurgesteld. Ik had gehoopt dat we een soort krakersspoor zouden vinden dat ons automatisch naar de dader zou leiden, waarna we aangifte zouden kunnen doen bij de politie.

'Dat kan bijna niet anders,' zei hij. 'Tenzij iemand bij je computer kon in de periode dat je bent gekraakt.'

'Nee,' zei ik. 'Ik was op vakantie.'

'Dan is je wachtwoord waarschijnlijk gewoon geraden,' zei hij. 'Maar dan moet diegene wel het e-mailadres hebben waar-mee je inlogt en bepaalde dingen over jou weten. Als je drie keer verkeerd inlogt, sluit Friendverse je profiel af totdat je een e-mail van hen hebt beantwoord. Dus de kraker moet je wachtwoord ongeveer geweten hebben.'

'Hmm,' zei ik nadenkend. Ik had al zo'n vermoeden dat de kraker mij goed kende. Hij wist bijna alles van mij en had mijn vrienden het idee gegeven dat ik degene was die al die dingen schreef. Maar dit ging wel erg ver. Wie kon het zijn?

Belangrijker nog, zou ik het ooit te weten komen?

De eerste bel ging, en Dell begon meteen zijn computers af te sluiten. 'Nou, bedankt,' zei ik terwijl ik naar de deur liep.

'Graag gedaan,' zei hij. 'Hoe doet je laptop het trouwens?'

'Goed,' zei ik. 'Alleen doet de q het nog altijd niet.'

'Alsof iemand die ooit gebruikt,' zei hij met een grimas die kennelijk voor een glimlach moest doorgaan.

'O ja,' zei ik. 'En ik hoorde van Liz Franklin dat haar computer ook nog altijd kuren vertoont.'

'O ja?' zei hij. Hij stond op. 'Heeft ze nog meer gezegd?'

'Nee. Ze was nogal pissig op me. Hoezo?'

'O, zomaar,' zei hij. Ik zag dat hij bloosde en zich snel naar een monitorscherm toe boog. 'Ik vroeg me af of ze er nog andere problemen mee heeft. Meer niet.'

De tweede bel ging, en ik besefte dat ik nu officieel *tardus* zou zijn voor Latijn. Maar toen ik naar Dells verlichte gezicht voor de monitor keek, herinnerde ik me ineens dat Lisa de dag ervoor had gesuggereerd dat Ruth op hem was. 'Dell,' zei ik zo luchtig mogelijk, 'heb jij eigenlijk een vriendin?'

'Nee,' zei hij, naar me opkijkend. Maar terwijl hij zich weer naar de monitor toe boog, hoorde ik hem zacht in zichzelf mompelen: 'Nog niet.'

9

'Verder nog iets over het schoolfeest?' vroeg Kittson opgewekt. Ze stond voor in het klaslokaal waar we onze wekelijkse feestcommissievergaderingen hielden, en ik ergerde me zo aan haar dat ik haar bijna mijn zak M&M's (minus de blauwe) naar haar hoofd had gegooid.

Kittson had aan het begin van de vergadering besloten mijn status als lid van de 'belangrijkste commissie van school' om te zetten in een proeflidmaatschap, omdat ik mijn geheimhoudingsbelofte – waarvan ik niet eens wist dat ik die had afgelegd – had geschonden door vertrouwelijke informatie op Friendverse te zetten. Ik mocht alleen nog wat zeggen als me iets werd gevraagd en moest Kittson met 'voorzitter Pearson' aanspreken. Behoorlijk frustrerend natuurlijk, maar gelukkig had ik genoeg andere dingen aan mijn hoofd om me er niet al te druk over te maken.

Ik was met mijn gedachten bij Connor, meneer Trent, Dell,

110

het feit dat Jimmy tijdens de Engelse les tot tweemaal toe mijn boeken van mijn lessenaar had gestoten en bij Liz die zich had omgedraaid toen ze mij na de laatste les zag aankomen. En dan heb ik het nog niet eens over de enorme zuigzoen in Kittsons hals, die ze kennelijk niet wenste te verbergen. Sterker nog, zo'n laaggesneden T-shirt als ze nu droeg had ik nog nooit gezien. Ik probeerde niet aan een zoenende Justin en Kittson te denken, niet aan mijn toneelscript dat ik nog lang niet uit mijn hoofd kende, niet over de vraag of Nates haiku misschien toch over mij ging.

'Zo,' zei Kittson, en ze sloeg met haar roze voorzittershamer op het spreekgestoelte. Ik schrok op uit mijn gepeins. 'Dan gaan we het nu over het onderwerp hebben waar we allemaal op hebben gewacht.'

Ik keek verbaasd naar de klok. Ik had niet in de gaten gehad dat de vergadering al bijna voorbij was.

'We gaan stemmen over het schoolfeestthema,' ging ze op opgewekte toon verder terwijl ze haar ogen als dolken in me boorde. Tot nu toe was het haar altijd gelukt mijn themavoorstellen verworpen te krijgen, ook al scheelde dat vaak maar een haartje. Dat kwam omdat er vooral leerlingen in de feestcommissie zaten die commissiewerk goed op hun cv vonden staan en meestal meestemden met degene die het laatst aan het woord was geweest.

'Welnu,' zei ze ineens scherp, 'sommigen... eh, van jullie stellen thema's voor die eigenlijk een soort woordgrappen zijn. Maar een schoolfeest is een serieuze zaak en een speciale avond die we ons leven lang zullen koesteren. Daarom wil ik voorstellen dit jaar "Een onvergetelijke avond" als thema te kiezen.'

Een van de spek-en-bonen-leerlingen stak zijn hand op. 'Was dat geen film van Mandy Moore?'

111

'Wandeling,' zei het meisje naast hem. 'Een onvergetelijke wándeling.'

'O,' zei hij. 'Oké dan.'

'Dus iedereen is het ermee eens?' vroeg Kittson. Ik stak mijn hand op. Ze keek me woedend aan. 'Madison?'

'Kittson... Ik bedoel, mevrouw de voorzitter...'

'Voorzitter Pearson.'

'Oké. Sorry. Besef je wel dat dat de titel van het boek over de ramp met de Titanic is?'

Ze staarde me aan. 'Wat?'

'Ja,' zei ik. '*A night to remember*. Dat boek hebben we allemaal in groep zeven moeten lezen.'

'Nou en?' zei ze, en ze zwiepte haar haren naar achter. 'Dat is iedereen toch allang vergeten. Wie van jullie herinnert zich dat nog?' vroeg ze vinnig aan de andere commissieleden. Maar iedereen was al zo verdiept in zijn Blackberry, dat ze de stilte als toestemming opvatte. 'Goed. Dus iedereen is het ermee eens?'

Ik stak als enige mijn hand weer op, maar Kittson sloeg af met haar voorzittershamer. 'Oké,' zei ze, 'dan wordt het dus "Een onvergetelijke avond". Einde vergadering.'

Ik wilde net vragen of ze de danszaal wilde versieren met plastic ijsbergen en foto's van een onderkoelde Leonardo DiCaprio, toen ik besefte dat ze met Justin naar het feest zou gaan.

Terwijl ík met Justin naar het schoolfeest had willen gaan. Niet dat hij me had gevraagd of dat we samen plannen hadden gemaakt, maar ik had er wel min of meer op gerekend. En nu ging hij natuurlijk. Tenzij ik erachter kwam wie mijn profiel had gekraakt.

Ik vond dat ik eigenlijk de draak moest steken met Kittsons thema, maar alleen al bij de gedachte dat ze samen zouden dansen op een gevoelige ballade verging me de lust.

'Nu het thema vaststaat, kan de website eindelijk de lucht in. Misschien kunnen we iets doen met een scrapbookmotief en een link maken naar...' Kittsons stem stierf weg. De andere commissieleden liepen al het lokaal uit, ongetwijfeld naar hun volgende activiteit.

Ik verstijfde. 'Doe jij de website?' vroeg ik verbaasd. 'Weet je dan hoe dat moet?'

'Tuurlijk,' zei ze schouderophalend. Ze pakte haar designerschoudertas op. 'Ik kan prima overweg met computers.'

'Maar dat wil niks zeggen, Mad,' zei Dave. Hij stak zijn hoofd om een stapel pizzadozen en keek me aan. 'Dat ze goed met computers overweg kan, wil nog niet zeggen dat ze je profiel heeft gekraakt.'

'Dat weet ik,' zei ik, 'maar toch.' We zaten met z'n allen aan de grootste tafel in Putnam Pizza en dronken gratis frisdrank terwijl we toekeken hoe Dave van platte stukken karton pizzadozen vouwde. Als we maar lang genoeg bleven, kwam Big Tony, de eigenaar, ons meestal een gratis pizza brengen. Die was altijd om je vingers bij op te eten, ook al weigerde hij er ananas op te doen. Tony vond dat fruit niet op een pizza hoorde en liet zich niet vermurwen door mijn argument dat 'tomaat ook fruit is'. En omdat hij net als ons hele groepje gruwde van Ruth's favoriete ui-ansjovis-hamvulling, kregen we altijd gewoon een kaaspizza.

Dave werkte nu drie maanden in de pizzeria en wij profiteerden van de voordelen. Zijn vader vond dat hij een baantje moest nemen, omdat zijn zoon moest weten 'wat het was om een dag te werken'. In de praktijk kwam het erop neer dat Dave pizza's rondbracht in een BMW waarmee Little Tony regelmatig zonder Daves toestemming ging joyriden.

'Een onvergetelijke avond?' vroeg Ruth. 'Wat morbide,' zei ze lachend. 'Waar gaan de giften naartoe? Naar de Vrijwillige Reddingsbrigade?'

'Ja, erg hè?' zei ik. Ik wist dat Ruth het zou snappen, en niet alleen omdat we in groep zeven samen een werkstuk over het boek hadden gemaakt. We hadden er een negen voor gekregen, omdat Ruth zo goed als alle research had gedaan. 'Ik zal het bij de volgende vergadering voorstellen.'

'Ik denk dat Kittson je gekraakt heeft,' zei Lisa vastberaden. 'Ze was uit op Madisons man.'

Ruth schudde haar hoofd. 'Wil je dat alsjeblieft anders zeggen?'

'Maar hoe kwam ze aan al die geheime informatie?' vroeg Schuyler. 'Ik bedoel, van Jimmy en Liz, en van mijn zeilongeluk en zo?'

'Ze kan het van anderen hebben gehoord,' zei Lisa. Ik verschoof ongemakkelijk op mijn stoel. Dat kon inderdaad, want kennelijk hadden degenen die ik het had verteld het doorverteld.

'Dus Kittson heeft een oogje op mij?' vroeg Dave. 'Gaaf.'

Lisa sloeg Daves stapel met dozen omver. 'Allemachtig! Ik bedoel, *mon Dieu!*' zei ze. Mopperend raapte Dave de dozen op.

'Wat stond er ook weer in dat sms'je dat je me stuurde?' vroeg Ruth aan Schuyler. 'Over Connor?'

'Wat is er met Connor?' zei Schuyler. Ze bloosde.

'Misschien heeft hij me wel gekraakt,' zei ik. Ik vertelde wat ik van meneer Trent had gehoord.

'OMG, Shy, leer die code nou toch eens uit je hoofd,' zei Lisa toen ik klaar was met mijn verhaal.

'Zo te horen heeft hij een motief,' zei Ruth peinzend.

'Nee!' zei Schuyler. 'Natuurlijk niet. Hij deed het in het belang van de school.'

'Wat heb jij toch met die Connor Atkins?' vroeg ik aan Schuyler. Ze werd zo rood als een biet.

'Wat? Niets. Hoezo?' stamelde ze.

'Connor speelt vandaag een lacrossewedstrijd tegen Stanwich. Als je hem wilt uithoren, is hij vast te vinden op het veld,' zei Lisa.

'Hoe weet jij dat?' vroeg Schuyler met een frons aan Lisa.

'Zeg dat wel,' zei Dave. Hij trok zo hard aan het karton dat het bijna scheurde.

'Goed idee,' zei ik terwijl ik op mijn horloge keek.

'Zet 'm op,' zei Ruth. 'Wring 'm uit. Ik spreek je later.'

'Ik spreek je snel,' antwoordde ik automatisch. 'Oké,' mompelde ik terwijl ik mijn spullen verzamelde. 'Ik ben weg.'

'Mads,' zei Schuyler geërgerd. 'Niks zeggen over... eh... Ik bedoel, als je hem ziet, begin dan niet over...'

Juist op dat moment gooide Big Tony een pizza op de tafel, zodat Schuylers woorden verloren gingen in het gevecht om de pizzapunten. Toen ze meteen een punt uit de doos graaide en begon te eten, besefte ik dat ze het er liever niet meer over wilde hebben.

Ik pakte zelf ook een pizzapunt en liep toen zonder nog één keer om te kijken de deur uit.

Ik had een missie.

10

Terwijl ik naar de lacrossevelden achter het hoofdgebouw van
onze school liep, at ik mijn pizza op. Toen ik de sportvelden
zag, besefte ik dat ik al lang niet meer naar een sportwedstrijd
was geweest.

Schuyler had niet graag dat we naar haar tenniswedstrijden
kwamen kijken. Ze zei dat haar service te lijden had onder
onze aanmoedigingen, vooral als die in het Frans waren. En
toen het eenmaal aan was met Justin, hoefde ik gelukkig niet
meer naar zijn rugbywedstrijden te komen kijken of belang-
stelling te veinzen voor een van de meest gewelddadige en
angstaanjagende sporten die ik ooit had gezien. Ik vroeg me af
of Kittson nu naar de wedstrijden zou komen kijken en voelde
een lichte steek van jaloezie.

Toch vond ik het leuk er weer eens te zijn. Terwijl ik over
het veld liep, liet ik mijn blik over het publiek gaan. Sommige
leerlingen zaten op de tribune of op dekens op de grond, an-

dere hingen rond langs de lijn en deden zich tegoed aan de Gatorade en sinaasappelen die eigenlijk voor het team waren bedoeld.

Ik ging aan de Putnam-kant op de tribune zitten en tuurde naar de spelers. Ik zag Connor meteen; hij stond in het midden van het veld te protesteren bij de scheids over 'gevaarlijk spel'. Ik probeerde niet in de lach te schieten – alles aan lacrosse was toch gevaarlijk? – en bekeek Connor eens goed. Hij zag er eigenlijk best goed uit, met zijn donkerrode haar en lichte sproeten. Als hij zich niet zo hufterig had gedragen, had ik hem misschien best schattig gevonden.

Om zijn hufterigheid nog eens te onderstrepen zette hij het op een schreeuwen, gooide zijn stick op de grond en werd vervolgens zelf uitgescholden wegens onsportief gedrag. Toen hij zijn stick opraapte, meende ik dat hij me op de tribune zag zitten. Ik zwaaide naar hem, maar hij kneep zijn ogen samen en speelde verder.

Ik was blij dat ik gekomen was. Als ik op zijn samengeknepen ogen mocht afgaan, had hij iets tegen me, en daarmee steeg hij met stip naar de eerste plaats op mijn verdachtenlijstje.

Ik keek om me heen. Een paar meter verderop zag ik Brian McMahon zitten. Hij had een blocnote in zijn hand en hield zijn blik strak op het veld gericht. 'Hoi, Brian,' zei ik, en ik schoof naar hem toe. 'Wat ben je aan het doen?' Ik wist dat hij nog steeds kwaad op me was: hij weigerde me spullen door te geven in de biologieles, tot groot plezier van Marilee, die het hele profielverhaal intussen had gehoord en gretig volgde hoe het drama zich voor haar ogen voltrok. Ik hoopte dat hij me al een beetje had vergeven.

'Wat moet je Madison?' bromde hij. 'Door jouw commentaar op Friendverse heb ik voor de rest van mijn leven huisarrest!'

Ik zuchtte. Ik legde Brian voor de zoveelste keer uit dat ik was gekraakt. 'Maar wat heb ik... wat heeft mijn nep-ik dan gezegd dat je zo lang huisarrest hebt gekregen?'

'Jij – of je kraker of wie dan ook – heeft alle details over mijn zogenaamde "wilde" feesten op Friendverse gezet, plus foto's die daar zijn gemaakt. Mijn vader controleert regelmatig mijn Friendverse en ging door het lint toen hij ze zag. Ik zit tot mijn dertigste binnen.' Brian boog zich voorover en plantte zijn ellebogen op zijn knieën. Hij was zichtbaar aangeslagen door zijn eigen zielige verhaal.

'Brian, het spijt me,' zei ik. 'Ik weet niet wie het heeft gedaan, of waarom, maar ik beloof je dat ik erachter zal komen.'

'Het moet iemand geweest zijn die op mijn feesten was. Want de kraker wist de kleinste details, en had foto's.'

Daar had ik weinig aan. 'Maar de halve school komt op jouw feesten,' bracht ik hem in herinnering. 'Dat maakt het aantal verdachten niet bepaald kleiner.'

Toen ik dat zei, vond er op het lacrosseveld kennelijk een succesvolle actie plaats, want het Putnamkamp vloog juichend overeind. Brian en ik klapten. 'Enig idee wat er is gebeurd?' vroeg ik.

'Nee,' zei hij met een frons, 'maar ik moet een wedstrijdverslag schrijven voor de *Pilgrim*.' De *Putnam Pilgrim* was de schoolkrant, maar ik wist niet dat Brian in de redactie zat. Per slot van rekening hadden zijn buitenschoolse activiteiten zich altijd beperkt tot uitgaan. Toen ik dat tegen hem zei, vertelde hij me dat zijn vader hem behalve huisarrest ook had verplicht meer schoolactiviteiten te ontplooien. 'Ik moet er vandoor,' zei hij toen het fluitsignaal voor de rust klonk.

'Nog één ding,' zei ik terwijl ik opstond. Ik had het hem al willen vragen sinds ik Nates profiel had gezien. 'Eh, waar ken jij Nate Ellis eigenlijk van?' Ik vond het vreemd zijn naam hardop uit te spreken – het was de eerste keer – en merkte dat ik glimlachte. Dat kwam vast door de 's'-klank in 'Ellis'.

Brian staarde me aan. 'Hoe ken jíj Nate?' vroeg hij. 'We zijn lang geleden een keer samen op kamp geweest.'

'O,' zei ik. 'Ik heb hem afgelopen vakantie op een bootreis ontmoet. Verder ken ik hem niet.' Ik zag Brians ogen oplichten.

'Dus jij bent dat meisje dat...' zei hij, maar net toen het interessant werd, deed hij er het zwijgen toe.

'Ik ben het meisje dat wat?' vroeg ik. 'Heeft Nate iets over mij gezegd?'

'Vraag het hem zelf maar,' zei Brian met een flauwe glimlach, waaruit ik afleidde dat hij blij was dat hij toch nog een beetje wraak kon nemen voor Friendverse-gate. Hij wees over het veld naar het Stanwichkamp. 'Daar heb je hem.'

Ik keek naar de plek waarnaar Brian wees en zag Nate, die er akelig leuk uitzag, met een camera om zijn nek naar de Putnamkant snellen.

Brian liep naar hem toe. Toen ze elkaar halverwege ontmoetten, gaven ze elkaar een ingewikkelde jongenshand en liepen weer door. Pas toen Nate de tribune naderde, begreep ik dat hij mijn kant op kwam. Ik werd nerveuzer dan nodig.

Ik bedoel, ik víél niet op hem ofzo. Hij was gewoon een jongen met een boeiend Friendverse-profiel met wie ik een ijsje had gegeten. Maar terwijl hij dichterbij kwam, besefte ik dat ik nu wist wat zijn favoriete films waren, dat we een paar dezelfde boeken mooi vonden en dat ik van zijn meeste lievelingsbands nog nooit had gehoord. Bovendien had hij een haiku geschreven die misschien, maar waarschijnlijk niet, over mij ging.

Ik stond op. Ik zou willen dat ik mijn lippen nog had geglost, maar dat kon nu niet meer, want dat zou er te dik bovenop liggen. Nu maar hopen dat ik geen pizza meer tussen mijn tanden had. Terwijl hij dichterbij kwam, zag ik dat hij glimlachte – dat sarcastische glimlachje waarbij zijn mondhoeken licht omhoog krulden.

Ik bad dat mijn hart ophield met bonken, maar het weigerde te gehoorzamen.

'Madison MacDonald, neem ik aan?' zei Nate. Net als de dag ervoor, droeg hij de emo-kak-combi die ik zo leuk vond.

Ik glimlachte naar hem. 'Nate the Great,' zei ik, 'de jonge detective.'

'Dat was Encyclopedia Brown.'

'Klopt. Maar wat doe jij hier eigenlijk?' vroeg ik.

'Ik ben fotograaf voor *De Stanwich Bode*,' antwoordde hij. 'Ons krantje.'

'Hoe hebben ze je voor dit klusje weten te strikken?' vroeg ik. Nate leek me niet echt een lacrossetype.

'Het is komkommertijd. En wat doe jij hier?' Blijkbaar zag ik er ook niet uit als een lacrossetype.

'Tja,' zei ik. Ik probeerde mijn wenkbrauw op te trekken à la detective Nancy Drew, maar ik denk dat ik er alleen maar mismaakt uitzag. Dat heb ik nooit onder de knie kunnen krijgen. 'Ik ben hier om een verdachte aan de tand te voelen.'

Hij keek me fronsend aan. 'Waar is je regenjas?'

'Bij de stomerij, helaas pindakaas.'

'Helaas pindakaas?' zei hij met een scheef, verbaasd lachje

'Precies,' zei ik.

'Heeft het iets te maken met het feit dat je gekraakt bent?'

'Jazeker,' zei ik. Ik wees naar Connor, die langs de zijlijn zat. 'Nummer zesentwintig. Ik denk dat hij het gedaan kan hebben.'

'Hoe ga je dat uitzoeken?'

'Zover ben ik nog niet,' gaf ik toe. 'Nog tips?'

Hij schudde zijn hoofd. 'Niet echt. Maar ik denk niet dat het slim is om de technieken uit tv-series over te nemen.'

'Ik denk dat je...' Toen het tot me doordrong wat hij zei, herinnerde ik me zijn Friendverse-profiel. 'Wacht eens even. Ik dacht dat jij geen televisie keek.'

Hij stak zijn handen in zijn zakken en keek op me neer. Ik moest me bedwingen niet op de tribune te gaan staan om op hém neer te kunnen kijken. 'Heb je mijn profiel bekeken?'

Ik voelde mijn wangen warm worden. 'Nou, ja,' zei ik, hopend op een koel briesje. Ik had ineens medelijden met Schuyler.

'Ik kijk ook geen televisie,' zei hij. 'Ik kijk tv-programma's op dvd.'

'Dat komt toch op hetzelfde neer!'

'Nee hoor.'

'Natuurlijk wel. Snob!'

Hij glimlachte. 'O, ben ik nu een snob?'

Ik glimlachte automatisch terug. Ik kon er niets aan doen. Het was net zoiets als wanneer je iemand ziet gapen en zelf ook moet gapen. 'Ja, dat ben je.'

'Nou,' zei hij, 'misschien kunnen jij en ik dan een keer...'

De rest van de zin ontging me, omdat ik over Nates fraaie brede schouders Connor weer zijn stick op de grond zag gooien en van het veld naar de parkeerplaats zag stormen.

'Ik moet gaan,' zei ik terwijl ik mijn tas pakte. Ik beet op mijn lip en keek Nate aan. Het briesje waar ik even daarvoor op had gehoopt, stak eindelijk op en blies zijn haar voor zijn voorhoofd. Ik had zin om mijn hand uit te steken en het haar uit zijn gezicht te strijken.

Vreemd. Die neiging had ik bij Justin nooit gehad. Waarschijnlijk omdat mijn hand dan in de gel zou blijven steken.

Maar toch. Gelukkig wist ik me te bedwingen, want ik zou me onsterfelijk belachelijk hebben gemaakt.

Ik probeerde me te herinneren wat Nate had gezegd voordat Connor mijn aandacht had afgeleid. 'Eh, wat zei je net eigenlijk?'

'Niet belangrijk,' zei hij. Hij maakte een beetje een teleurgestelde indruk. Of verbeeldde ik me dat maar? 'Je kunt beter achter je verdachte aan gaan.'

Ik knikte. 'Het spel is begonnen.' Ik zag tot mijn grote schrik dat Connor al bijna bij de parkeerplaats was. 'Maar, ik, eh...'

'Ik zie je wel weer,' zei hij, en het viel me voor het eerst op wat voor een leuke stem hij had. Laag en een beetje hees, alsof hij net wakker was. 'Ik bedoel, we zijn nu officieel vrienden.'

'Zo is dat,' zei ik. Ik vond het vervelend dat ik moest gaan, en daar schrok ik van. Maar ik moest! De verdachte ontsnapte! 'Dag,' zei ik, en ik draaide me om en snelde naar de parkeerplaats, zodat ik niet naar Nate kon blijven kijken, niet naar zijn stem kon blijven luisteren of mijn hand naar zijn haar kon uitsteken, of wat dan ook.

'Connor!' riep ik zodra ik binnen gehoorsafstand was. Hij kwam overeind naast de kofferbak van een zwarte Jeep waarin hij zijn lacrossespullen aan het opbergen was, en hoewel ik pas halverwege de parkeerplaats was, keek hij me weer met samengeknepen ogen aan.

'Madison?' zei hij, alsof hij me niet al eerder had gezien en boos naar me had gekeken.

'Ja,' zei ik toen ik eindelijk met een steek in mijn zij van het rennen naast hem stond. 'Ik moet met je praten.'

Connor ging op de rand van de kofferbak zitten en trok zijn wenkbrauwen op. 'Waarover?'

Op dat moment drong pas tot me door dat hij een gele,

glimmende lacrosseshort aan had. En probeer iemand in een glanzende gele short maar eens serieus te nemen. 'Over mijn Friendverse-profiel.'

Hij staarde me strak aan. 'Wat is daarmee?'

Ik had de neiging zijn lacrossestick te pakken en hem een mep te verkopen. 'Ik ben gekraakt,' zei ik langzaam. 'Toen ik op vakantie was. Maar dat wist je toch al?'

Hij vouwde zijn armen voor zijn borst. 'Misschien.'

'Je weet het omdat je het tegen meneer Trent hebt gezegd.'

Connor bleef me aanstaren. 'Dus?'

'Dus,' zei ik knarsetandend, 'wil ik weten of jij het hebt gedaan.'

'Wat gedaan?'

'Mijn profiel hebt gekraakt.' Nu was ik degene die hém met samengeknepen ogen aankeek en ik probeerde hem te betrappen op een zenuwachtig knipperen met zijn ogen. 'Zeg het maar gewoon, want ik kom er toch wel achter. Ik heb Frank – ik bedoel Dell – op de zaak gezet.' Wat niet zo was, maar dat hoefde Connor niet te weten.

Connor rolde met zijn ogen en lachte. 'Natuurlijk heb ik jouw profiel niet gekraakt,' zei hij. 'Jezus, Madison. Waarom zou ik dat doen?'

Ik bekeek hem aandachtig. Ik had niet het gevoel dat hij loog. Ik wist dat hij niet goed kon toneelspelen, want ik had hem ooit een rampzalige auditie zien doen voor *De zeemeeuw*.

'Geen idee,' zei ik, al iets minder zelfverzekerd. 'Ik dacht dat je boos op me was vanwege die hertelling. En toen ik daarna niet met je uit wilde...' Dat laatste zei ik heel snel, en ik merkte dat ik bloosde.

'Tja,' zei Connor. Ik zag dat hij ook bloosde, want zijn sproeten waren bijna niet meer te zien. 'Ik bedoel, de uitslag van de verkiezing viel me tegen. Maar ik had recht op een her-telling, vond ik, want volgens meneer Trent was het verschil nog nooit zó klein geweest.'

Ik moest me inhouden niet met mijn ogen te rollen.

'En ik vond je inderdaad leuk. Maar toen ik erachter kwam dat je met die andere jongen...'

'Justin Williamson.' Ik merkte dat ik niet glimlachte toen ik Justins naam zei. Maar dat kwam misschien omdat er geen 's'-sen in zaten. Dat wil zeggen, niet op het eind.

'Ja, die.' Connor keek me fronsend aan. 'Laten we eerlijk zijn, Madison, dat is een domme sportfanaat.'

'Eh,' zei ik met een blik op zijn glanzende gele shorts.

'Ik speel alleen lacrosse,' zei hij. 'Er is een verschil tussen een beetje lacrosse spelen en willen uitblinken in sport omdat dat goed bij de meiden valt. Toen ik hoorde dat jij met hem ging, heb ik het uit mijn hoofd gezet. En dat is echt geen reden om je profiel te kraken.' Hij haalde zijn schouders op. 'Zo erg vond ik het trouwens ook weer niet.'

'Maar...' Ik probeerde alle informatie te verwerken.

Zoals het feit dat Connor het niet gedaan leek te hebben. En dat ik dus een van mijn twee verdachten kon afstrepen en weer terug was op het eerste honk. Dat ik blijkbaar geen har-tenbreker was. En dat toen hij zei dat hij me leuk vond, hij in de verleden tijd sprak.

'Maar je keek me zo boos aan.' Ik klampte me aan de laatste strohalm vast, want ik wilde nog niet toegeven dat ik had ver-loren.

'Wanneer?' vroeg hij verbaasd.

'Zonet.'

'O,' zei hij. 'Ik kon mijn contactlenzen niet vinden, dus ik zie heel slecht. Daarom ben ik ook van het veld gestuurd. Ik had het over de scheidsrechter, maar zag niet dat hij naast me stond. Ik móét ze vinden, anders moet ik me van mijn moeder laten laseren en dat wil ik dus écht niet.'

'O,' zei ik. Ik voelde me een idioot. Maar voordat ik vertrok, moest ik hem nog een laatste vraag stellen. 'Waarom heb je meneer Trent eigenlijk verteld over mijn gekraakte profiel?'

'O, dat.' Connor stond op, gooide de rest van zijn lacrossespullen in de kofferbak en trok een zwarte sweater met capuchon aan. 'Ik denk dat hij zich schuldig voelde over die hertelling. Hij vroeg of ik de Internet Liaison van school wilde worden.'

'Wat is dat?' Ik had nog nooit van die functie gehoord, en ik wist zeker dat als Lisa het had geweten, ze had gesolliciteerd, want ze deed alles wat ook maar in de verste verte Frans klonk.

'Een baantje dat hij net zelf had geschapen,' zei Connor. 'Ik denk dat hij zich zorgen maakte, omdat iedereen op school tegenwoordig op Friendverse zit. Hij wil dat ik verdachte zaken aan hem meld. En jouw profiel viel binnen die categorie.'

'O,' zei ik terwijl ik zijn woorden goed tot me liet doordringen. Ineens schaamde ik me. 'Ik snap het. Sorry dat ik je ten onrechte heb beschuldigd.'

Connor haalde zijn schouders op en glimlachte. 'Ach, dat geeft niet. Ik wilde je toch spreken...'

Ik hield mijn adem in. Hij wilde me toch zeker niet wéér mee uit vragen? Ik bedoel, hij had de verleden tijd gebruikt toen hij zei dat hij me leuk vond. 'Eh, waarover?'

Connor bloosde weer. 'Heeft je vriendin Schuyler een vriendje?'

Ik haalde opgelucht adem en vertelde Connor dat Schuyler single was, maar wel op zo'n manier dat hij haar niet sneu zou vinden. Ik zei ook tegen hem dat hij vooral niet over zeilen of boten moest beginnen als hij met haar aan de praat raakte.

Connor bedankte me en reed weg. Ik keek hem na totdat zijn achterlichten uit het zicht verdwenen waren en liep toen naar mijn Jetta.

In de verte hoorde ik een politiesirene loeien. En toen zag ik uit het raampje van een geparkeerde terreinwagen die me niet eerder was opgevallen een zilveren Razr vliegen en op de grond in stukken vallen.

11

Lied: *La la lie* – Jack's Mannequin
Quote: 'De waarheid is zelden zuiver en nooit eenvoudig.' – Oscar Wilde

Ik liep naar de auto toe. Ik zag een roodharig meisje onderuitgezakt achter het stuur zitten en had zo'n vermoeden dat het Schuyler was. Per slot van rekening was zij de enige die ik kende die telefoons uit haar auto gooide.

Toen ik dichterbijkwam, zag ik dat het inderdaad Schuyler was. Ze keek met een strakke blik in haar achteruitkijkspiegel, die zo afgesteld was dat ze de plek waar ik zojuist met Connor had gestaan, zou kunnen zien. Ik liep naar het portier aan de passagierskant. Het raampje stond open.

'Hoi.'

Schuyler greep geschokken naar haar hart. 'God! Mad!' zei ze, zich naar me toe kerend. 'Ik schrik me dood.'

'Sorry,' zei ik. Ik leunde met mijn ellebogen in het open raampje. 'Ik zag het mobieltje, dus...'

'Tja.' Schuyler schudde haar hoofd. 'Dat is een gewoonte geworden. En ik rééd niet eens. Ik lijk die hond van die man met die bel wel.'

'Pavlov,' hielp ik haar.

'Ja, die bedoel ik.' Ze leunde uit haar raampje, keek naar de kapotte telefoon en zuchtte. 'Dat is al de tweede deze maand.'

'Misschien moet je zo'n handfreeset aanschaffen,' zei ik. 'Dat is een stuk goedkoper.'

'Misschien wel, ja,' zei ze. Ze ging rechtop zitten en verstelde de spiegel zodanig dat hij weer op het achterraam gericht was. 'Zo, eh, nog nieuws?'

'Jij?' vroeg ik. Ik keek Schuyler aan. Ze friemelde nerveus aan haar haren en keek alle kanten op, behalve naar mij. Omdat ik al langer wilde weten wat er met haar aan de hand was en dit me het juiste moment leek, vroeg ik: 'Vind je het goed als ik instap?'

'Tuurlijk.'

Ze maakte het portier open, en toen ik was ingestapt, draaide ik me naar haar toe. 'Wat is er aan de hand, Shy?'

'Hoe bedoel je?' vroeg ze, en ze stak een haarlok in haar mond.

'Háár,' bracht ik haar in herinnering.

'Dank je,' zei ze. Ze draaide het in een slordige knot en begon aan een paar losse lokjes te friemelen. 'Er is niets aan de hand. Ik snap niet wat je bedoelt.'

'Wat doe je hier dan?'

'Geen idee,' zei ze. Ze liet haar vingers over het stuur glijden. 'Ik had gewoon, eh, behoefte aan een frisse neus.'

'Shy, kom op.'

'Wat?' Ze ging op haar handen zitten. 'Waarom denk je dat er iets is?'

'Nou,' zei ik, 'je doet zo vreemd sinds ik terug ben van vakantie. Wat is er?'

'Níéts,' hield ze vol, met haar blik strak op het stuur.

'Schuyler,' zei ik. 'Zeg het nou maar. We vertellen elkaar altijd alles.' Terwijl ik haar ogen naar de kilometerteller zag afdwalen, draaide mijn maag zich om. 'Toch?' Schuyler keek me nog altijd niet aan, en ik besefte ineens dat ze al raar deed sinds mijn profiel was gekraakt, alsof ze iets voor me verborg of zich schuldig voelde. Maar toen kwam er een gedachte in me op die zo verschrikkelijk was dat ik het niet hardop durfde te zeggen.

Had Schuyler mijn profiel gekraakt?

Ik had geen idee waarom ze dat zou willen doen, maar de puzzelstukjes leken op hun plaats te vallen. Per slot van rekening had ik haar ooit alle geheimen verteld die de kraker had verspreid.

Ik leunde achterover in mijn stoel. 'Shy,' zei ik langzaam. 'Heb jij... Ik bedoel...'

Ze keek me aan met een blik alsof er in grote letters 'schuldig' op haar voorhoofd stond.

'Heb jij mijn profiel gekraakt?' vroeg ik met trillende stem.

'Hè?' zei ze. Ze keek me geschokt aan. 'Natuurlijk niet, Madison. Hoe durf je dat te denken?'

'Ik weet niet...'

'Ik dacht dat ik een van je beste vriendinnen was...'

'Dat ben je ook!'

'Ik bedoel, ik weet wel dat Ruth je állerbeste vriendin is, maar ik dacht dat ik ook een goede vriendin van je was. Ik bedoel, vorige maand stond ik in je Top 8 boven Lisa. Zoiets zou ik je nooit aandoen!'

Ik haalde opgelucht adem. De gedachte dat ik door een van mijn beste vriendinnen zou zijn verraden maakte me misselijk. 'Maar wat is er dan aan de hand?'

Schuyler zuchtte. 'Het gaat om Connor.'

Dat had ik niet verwacht te horen.

'Ja,' zei ze blozend. 'Ik heb een oogje op hem.'

'Op Connor Átkins?'

'Ja,' zei ze. 'Hij is zo leuk en superlief en aardig...' Ze glim-lachte gelukzalig.

'Oké,' zei ik. Ik wilde hem het voordeel van de twijfel geven. Misschien wás hij ook wel superlief en aardig, zolang hij je niet beschuldigde van gesjoemel met de verkiezingsuitslag of je een kleptocraat noemde.

'Maar ik weet dat hij op jou was, Mad. Dus toen heb ik laten doorschemeren dat jij iets met Justin had – toen dat nog zo was, bedoel ik – en dat je hem waarschijnlijk toch niet zag staan.' Ze keek me schuldbewust aan. 'Het spijt me heel erg.'

'Waarom?' vroeg ik, oprecht verbaasd. 'Je hebt me een groot plezier gedaan. Ik zíé hem ook niet staan.'

'O,' zei Schuyler. 'Ik dacht alleen... Ik weet dat als een van je vriendinnen iemand leuk vindt, jij die persoon soms ook leuk gaat vinden, en dat wou ik voorkomen.'

'Daar hoef je niet bang voor te zijn,' verzekerde ik haar. Toen besefte ik wat ze had gezegd. 'Je bedoelt toch "jij" in het alge-meen, hè? Want zoiets zou ik een vriendin nooit aandoen.'

Schuyler was even stil en zei toen: 'In het algemeen, ja.'

'Shy, ik vind het hartstikke leuk dat je een oogje op Connor hebt. Jullie lijken me een snoezig stel.' En dat meende ik. Ik was blij dat Schuyler eindelijk eens zélf iemand leuk vond, in plaats van andersom. En ze zouden echt een leuk stel vormen, met hun rode haar en sproeten. Ze zouden zo samen in een Gap-reclamespot kunnen.

'Denk je?' vroeg ze stralend. 'Want ik vind hem superleuk, maar weet eigenlijk niet wat ik moet doen. En ik zweer je dat ik jou niet ben gevolgd.' Ze trommelde met haar vingers op het stuur. 'Maar... waar hadden jullie het eigenlijk over?'

Ik glimlachte naar haar. 'Over jou.'

Schuyler gaf zo'n gil dat ik blij was dat de raampjes open stonden, want anders waren mijn trommelvliezen gescheurd. 'Echt? Écht? Ik bedoel, echt waar?'

'Echt waar,' verzekerde ik haar, en ik vertelde haar over ons gesprek. Schuyler hapte om de drie woorden naar adem. 'Dus,' zei ik toen ik klaar was, 'het ziet ernaar uit dat je spoedig een afspraakje hebt.'

'O, mijn god,' piepte ze. 'Dit is zó gaaf! Mad, ontzettend bedankt!'

'Niks te danken,' zei ik. Ik haalde het lijstje dat Ruth voor me had gemaakt uit mijn tas. 'Ik ben blij dat Connor me niet heeft gekraakt, maar dat betekent wel dat ik nog maar één verdachte over heb.'

Schuyler wierp een blik op het lijstje. Ik streepte Connor door en staarde naar de enig overgebleven naam: Kittson Pearson.

12

'Fore!' riep Lisa. Ze speelde een tennisbal met een lob over het hek.

'Dat is een golfterm,' bracht Ruth haar in herinnering, waarna ze samen met Schuyler de ballen rondom de baan begon op te rapen.

Lisa haalde haar schouders op. 'Boeiend.' Ruth gaf haar een handvol ballen aan, waarna Lisa ze over het hek sloeg.

We hadden buiten gymnastiekles, de enige les die we met zijn vieren samen hadden. Justin had op hetzelfde uur gym met de jongens, en ik keek steeds even naar de open gymzaaldeuren, in de hoop een glimp van hem te kunnen opvangen.

Zijn klas was aan het bergbeklimmen tegen de binnenwand van de gymzaal. Wij hadden mogen kiezen tussen tennis en touwklimmen, maar toen Lisa me als gehypnotiseerd naar Justin had zien staren, die zich aan het opdrukken was, had ze ons meegesleept naar de tennisbaan.

Om heel eerlijk te zijn was ik niet de enige die had staan staren. Ruth en zo goed als iedereen uit mijn klas had zijn ogen niet van hem kunnen afhouden. Justin had behoorlijk indrukwekkende triceps. Maar goed dat ik niet zijn personal trainer was, want dan had ik me vast niet op mijn taak kunnen concentreren.

Maar toen ik eenmaal op veilige afstand van de spierballen van mijn ex-vriendje op de tennisbaan stond, ontwaakte ik uit mijn hypnose. We moesten met ons vieren dubbelen, maar omdat niemand daar zin in had – behalve Schuyler, maar die was zo goed in tennis dat niemand van ons met haar wilde spelen – sloegen we de ballen gewoon in het bos achter de tennisbanen. Als mevrouw Bellus, onze gymlerares, dan kwam kijken, konden we de ballen 'gaan zoeken', lees: verder kletsen.

'Ik ben gisteren bij Dell geweest,' zei ik terwijl ik 'kikker in de kookpot' speelde, waarbij ik mijn bal op en neer liet stuiteren op mijn tennisracket. Marilee Suarez was naar de rector gestuurd omdat ze de oefening had geweigerd omdat ze vegetariër was, wat een komisch begin van de les was geweest.

'O ja?' zei Ruth. 'Waarom? Doet je computer nog raar?'

'Ja,' zei ik. 'Maar vooral vanwege dat kraakgedoe. Ik heb hem trouwens ook gevraagd,' vervolgde ik met een schuine blik op Ruth, 'of hij een vriendin had.'

Ik zag dat Ruth licht bloosde. 'Wat zei hij?' vroeg ze.

'Hij zei "nog niet", wat ik wel interessant vond.' Ik keek mijn beste vriendin aandachtig aan. 'Rue, heb je een oogje op Dell? Je kunt het ons best vertellen, hoor.'

Ruth bloosde nu hevig en trok een ongemakkelijk gezicht; allemaal tekenen die in de richting van een 'ja' wezen.

'*C'est vrai?*' zei Lisa terwijl haar stem een octaaf omhoog ging. 'Echt waar? O god, wat spannend!'

'Nee,' zei Ruth, friemelend aan haar halsketting, 'het is niet waar. Echt niet. Ik ken hem alleen van ons natuurkundeproject. Ik ben niet op Dell. Oké?'

'Oké,' zei Schuyler.

'Oké,' zei ik.

'Maar ben je dan wel op iemand anders?' vroeg Lisa. Ruth werd nog roder. 'Ik wist het!' gilde ze. 'Wie is het? *Qui?*'

Ruth schudde glimlachend haar hoofd en opende haar mond om iets te zeggen.

'Meisjes!' Mevrouw Bellus, gehuld in een kleurig joggingpak en met een klembord in haar handen, kwam naar de tennisbanen toe gelopen. We stonden in de hoek van de baan, achter de baseline. 'Wat zijn jullie aan het doen?'

'Aan het tennissen?' zei Schuyler na een korte stilte.

'We zijn onze ballen kwijt,' zei Lisa, naar de andere kant van het hek wijzend.

'Allemaal?' vroeg ze vol ongeloof.

'Yep,' zei Lisa. 'Schuyler slaat de ene ace na de andere.'

Mevrouw Bellus wreef over haar slapen. 'Ga ze dan maar halen,' zei ze, en ze liep hoofdschuddend weg. We holden gevieren naar het bos achter de tennisbaan.

'Nou?' vroeg Lisa opgewonden zodra onze gymlerares buiten gehoorsafstand was.

'Helemaal niemand,' zei Ruth lachend. 'Dat wou ik je net zeggen. Ik ben op het moment op niemand verliefd. Maar zodra dat wel zo is,' zei ze, vermoedelijk als reactie op Lisa's teleurgestelde gezicht, 'zijn jullie de eersten die het horen.'

'*C'est dommage,*' bromde Lisa.

Ik keek opzij naar Ruth en trok mijn wenkbrauwen op. Ze

haalde haar schouders op en mimede: ik spreek je later. Waaruit ik afleidde dat Ruth wél een oogje op iemand had, maar daar liever eerst met mij over wilde praten. Volkomen begrijpelijk natuurlijk. Zij was ook de eerste die ik over Justin had verteld. Als beste vriendin had je een streepje voor.

Ik bestudeerde haar gezicht en vroeg me af wie het kon zijn. Ruth hield dat soort dingen liever voor zichzelf, en dat vonden wij als vriendinnen best frustrerend.

'Had ik jullie al over Connor verteld?' vroeg Schuyler opgewonden.

'Ja,' reageerden Ruth en Lisa in koor. Maar Schuyler liet zich niet uit het veld slaan en stak weer van wal.

Toen ik over mijn gesprek met Connor over de kraakaffaire begon, voelde Schuyler zich kennelijk gepasseerd, want ze begon te sputteren totdat Lisa een tennisbal naar haar hoofd gooide.

'Als Connor het niet heeft...' begon Lisa.

'Ik zei toch dat hij het niet heeft gedaan,' zei Schuyler kregelig terwijl ze over de pijnlijke plek op haar hoofd wreef waar de tennisbal haar had geraakt.

'Maar als hij het niet was,' ging Lisa verder, 'wie dan wel?'

Ik raapte nadenkend een groene tennisbal op. 'Ik heb geen idee.'

'Kittson,' zei Schuyler. 'Toch?'

'Ja,' zei Ruth. 'Zij staat nog op het lijstje.'

Al vanaf het moment dat ik Connor had geschrapt, vroeg ik me af of het dan toch Kittson was geweest. Alle puzzelstukjes vielen op hun plaats, zoveel had ik wel geleerd van Agatha Christie: motief, middelen, oogmerk. Maar ik moest er niet aan denken dat ik haar tussen de lessen door, wanneer ze natuurlijk ergens met Justin stond te vrijen, in het openbaar moest confronteren met mijn beschuldigingen. 'Ik zal haar na de volgende feestcommissievergadering even apart nemen.'

Lisa gaapte me aan. 'Maar dat is pas over een week! Je moet het nu meteen doen!'

'Meisjes!' riep mevrouw Bellus. 'Hebben jullie al jullie ballen teruggevonden?' Schuyler schoot zoals gewoonlijk in een spasme (eindexamenwoord) en kon haar lachen niet bedwingen.

Lisa wees naar mij. 'Madison heeft er een gevonden.' Ik stak de bal omhoog als bewijs.

'Minder praten en beter zoeken, oké?' zei mevrouw Bellus. Ze maakte een aantekening op haar klembord. Dat voorspelde niet veel goeds voor mijn cijfer voor gym. Zodra ze weer wegliep, kletsten we verder.

'Ik wil er liever niet tussen de lessen door over beginnen,' zei ik. Ik pakte weer een bal op. 'Ik heb geen zin in een scène in het studiecentrum. Er wordt toch al over me gekletst.'

'*Un moment*,' zei Lisa. Ze haalde haar mobiel uit de zak van haar trainingsbroek en begon door haar agenda te bladeren. 'Volgens mij laat Kittson altijd op woensdag haar nagels doen. Ik heb na de vergadering van mijn Stichting Franse Taal en Cultuur een afspraak bij mijn manicuurster, en dan vertrekt zij daar net.'

Ruth staarde haar aan. 'Ga jij naar een manicuurster?'

'*Mais oui*,' zei Lisa. 'Dat zou jij ook doen als je mijn nagelriemen had.'

'Daar moet je heen gaan, Mad!' zei Schuyler. 'Dan kan ze onder het praten niet weglopen. Mijn stiefmoeder neemt me ook altijd mee naar een beautycentrum, zodat ze tegen me kan zeuren als ik een modderpakking krijg.'

'Interessant idee,' zei ik. Ik gooide een bal over het hek op de tennisbaan, en op dat moment zag ik Justin naar de deur van de gymzaal lopen, waar hij rekoefeningen begon te doen. Hij zag er verhit en zweterig uit, maar wel superleuk. Maar als ik heel eerlijk was, toch ook wel een beetje aan de kleine kant.

De bel ging, en we gooiden de andere ballen die we nog hadden gevonden over het hek op de baan. 'Nou?' zie Schuyler. 'Ga je naar die nagelstudio of niet?'

Ruth glimlachte naar me. 'Eropaf,' zei ze.

'Inderdaad,' zei Lisa. 'Ik bel Olga wel even om te vragen of ze na school tijd voor je heeft.'

'Oké,' zei ik. 'Ik doe het.' Lisa regelde een afspraak voor me, zodat ik direct na school naar Hip Nails kon gaan.

Toen ik klaar was met omkleden, ging ik naar de geschiedenisles, waar ik tot mijn grote schrik te horen kreeg dat ik die vrijdag een werkstuk van vijftien bladzijden over de Quakers moest inleveren. Gelukkig zei meneer Karlyle niets over lettergrootte en regelafstand, en in dat geval gaf ik altijd de voorkeur aan Courier/14, waarmee je acht bladzijden tekst met twee klikken in een werkstuk van vijftien bladzijden kon veranderen.

Toen de laatste bel van die dag ging, liep ik naar mijn kluisje, waar Liz net haar kluisdeurtje dichtgooide en haar tas oppakte. Toen ze me zag, aarzelde ze even, alsof ze iets wilde zeggen, maar toen draaide ze zich om en liep weg.

Ik pakte net mijn eigen tas op (terwijl ik twee onderbouwers probeerde te negeren die twee kluisjes verderop giechelend naar me wezen) toen Sarah Donner naar me toe kwam lopen.

'Hoi, Mads,' zei ze poeslief. 'Hoe gáát 't nou met je?'

Ik draaide me om en keek op haar neer. Sarah was een kleine tien centimeter kleiner dan ik, wat volgens haar een van de redenen was waarom de rol van Felia niet geschikt was voor mij, omdat Josh Burch, die Ham speelde, twee centimeter kleiner was dan ik. Toen ik de rol kreeg, had ze tegen meneer Allan gezegd dat het er idioot zou uitzien wanneer een onschuldig meisje boven de mannelijke hoofdrolspeler zou uittorenen. Hoewel ik niet het idee had dat hij met het lengteverschil zat, wees ik hem erop dat ik als boerenmeisje in Kansas toch de hele musical op mijn blote voeten zou lopen terwijl Ham, die zojuist was teruggekeerd van de Universiteit van Wittenberg, ongetwijfeld schoenen zou dragen, zodat we toch even groot zouden zijn.

Sarah was niet onaantrekkelijk. Ze had lang bruin haar en blauwe ogen. Ze zou er knap uit kunnen zien als ze niet overal zo bloedfanatiek in was.

'Hoi, Sarah,' zei ik. Ik keek naar haar outfit: een overall en een bandana. Ze kleedde zich gewoonlijk vrij normaal, maar op repetities droeg ze dit soort kleren omdat ze ergens had gelezen dat Meryl Streep er ook altijd zo bij liep toen ze nog de toneelopleiding op Yale volgde. 'Waarom heb je je overall aan?' vroeg ik. 'We hebben vandaag toch geen repetitie?'

'Weet ik,' zei ze. 'Maar ik ga naar het theater om mijn tekst te oefenen. Ik heb hem natuurlijk al praktisch in mijn hoofd, maar wat extra oefening kan nooit kwaad.'

'Oké,' zei ik. Ik wilde tegen haar zeggen dat ze zich geen zorgen hoefde te maken omdat ik haar toch nooit mijn rol zou geven, maar besloot mijn mond te houden.

'Gaat het een beetje?' vroeg ze vriendelijk terwijl ze me met een scheef hoofd aankeek.

'Ja, hoor, prima,' zei ik. Ik ging ervan uit dat ze doelde op de kraakaffaire. 'Het lijkt minder te worden, dus het gaat de goede kant op.'

Sarah fronste haar voorhoofd. 'Mads, hoe bedoel je, "het lijkt minder te worden"? Vandaag moet er toch gestemd worden?'

Ik staarde haar aan. 'Gestemd worden? Waarvoor?'

'De Thespianen gaan toch stemmen?' Ze schikte haar bandana. 'De meesten van ons – inclusief mezelf, moet ik eerlijk toegeven – zijn niet blij met wat je over ons op Friendverse hebt gezet. We gaan stemmen over de vraag of iemand die zo duidelijk iets tegen de groep als geheel heeft wel lid kan blijven.'

Ik kon mijn oren niet geloven. 'Sarah,' zei ik, in een poging mijn stem niet te verheffen, 'ik heb die dingen niet op Friendverse gezet. Mijn profiel is gekraakt.'

Ze fronste haar wenkbrauwen, alsof ze in de war was, maar ik kon aan haar zien dat ze van elke seconde genoot. 'Maar Mads,' zei ze, 'je hebt dat soort dingen al vaker gezegd. Ik weet zelfs bijna zeker dat ik je het heb hóren zeggen.'

'Ja, maar...' Waarom leek niemand te begrijpen dat er een verschil was tussen een paar mensen iets doorvertellen of het op internet zetten? Want dat wás een verschil. Toch?

Voor het eerst voelde ik iets van twijfel over mijn gewoonte 'informatie met anderen te delen'.

'Ik zou dat soort dingen nooit in het gezicht van de Thespianen hebben gezegd,' zei ik terwijl ik haar recht aankeek. 'En ik heb het ook niet op mijn profiel gezet.'

'Dan had je het ook niet achter hun rug om moeten zeggen, of wel?' zei Sarah met een zelfvoldane glimlach. Ze keek op haar horloge. 'Oeps, ik moet gaan.' Ze keek me weer met een schuin hoofd aan. 'Succes, Mad. Het zou jammer zijn als je niet aan de musical zou kunnen meedoen.' Na die woorden liep ze weg.

Ik keek haar woedend na. Het was duidelijk dat Sarah uit jaloezie de groep tegen mij aan het opzetten was. Maar ik was ook boos op mezelf omdat ik over de Thespianen had geroddeld.

Ik keek op mijn mobiel. Als ik niet opschoot, zou ik te laat komen voor mijn afspraak bij de nagelstudio. Onderweg naar mijn auto stuurde ik snel een e-mailtje naar meneer Allan, waarin ik hem uitlegde wat Sarah van plan was – ik was ervan overtuigd dat ze de stemming op eigen houtje had geregeld – en dat mijn profiel gekraakt was en ik geen schuld (nou ja, misschien een beetje) had aan de problemen.

Daarna stuurde ik Ginger een sms'je met de vraag of ze alsjeblieft tegen Sarah wilde stemmen en me na de bespreking wilde laten weten wat er was besloten. Ze stuurde een smiley terug, zodat ik er zeker van kon zijn dat er tenminste één stem op mij zou worden uitgebracht.

Toen ik bij Hip Nails aankwam, zag ik een roze Mini Cooper op de parkeerplaats staan met een persoonlijk kenteken waarop KIT KAT stond, dus ik ging ervan uit dat Kittson binnen was. Ik wierp een snelle blik in mijn achteruitkijkspiegel en wenste dat ik die ochtend de tijd had genomen me op te maken. Ik kon er beter goed uitzien als ik het populairste meisje van school zou beschuldigen van het inpikken van mijn vriendje en mijn identiteit.

Bij binnenkomst zag ik Kittson met de *Us Weekly* in een leren massagestoel in de pedicurehoek zitten.

'Hoi,' zei ik tegen de vrouw achter de balie. 'Ik heb een afspraak met Olga. Voor een pedicurebehandeling.'

Ze keek in een grote agenda en maakte een aantekening. 'Zoek maar alvast een kleur uit.'

Ik pakte het flesje dat het dichtstbij stond, een helder karmozijnrood. 'Deze.'

Ze trok haar wenkbrauwen op. 'Jungle Rood,' las ze. 'Een brutale kleur voor deze tijd van het jaar.'

Terwijl ze me naar de pedicurehoek leidde, vroeg ik me af wat ze had bedoeld. Was de kleur van nagellak soms seizoensafhan-kelijk?

Maar ik had geen tijd om er verder over na te denken, want voor ik het wist zat ik naast Kittson in een stoel. Ik wist nog niet wat ik tegen haar zou gaan zeggen. De vrouw achter de balie had me gezegd dat Olga zo bij me zou komen om mijn voeten een bad te geven, dus ik rolde de pijpen van mijn spij-kerbroek alvast op terwijl ik ondertussen een strategie pro-beerde te verzinnen. Ik dacht aan een van Agatha Christies be-roemdste misdaadromans en vroeg me af WZHPD, ofwel: Wat zou Hercule Poirot doen?

'Hallo, Kittson,' zei ik ten slotte. Meer wilde me niet te bin-nen schieten, want wat ik ook probeerde, met de strategie wilde het niet vlotten.

Ze keek op van het artikel 'Sterren: ze zijn net als wíj!' en gooide haar lange blonde haren over haar schouder terwijl de pedicuurster haar voeten masseerde. 'O,' zei ze. 'Hoi, Madison.' En meteen richtte ze haar aandacht weer op een foto van Ma-donna die een cheeseburger at.

Als Kittson mijn profiel had gekraakt, wist ze dat goed te verbergen. Ik keek naar haar en probeerde in te schatten of ze het type was dat andermans leven zou ruïneren om bij Justin te kunnen zijn. 'Ik moet met je praten,' zei ik, en opeens wens-te ik dat ik mijn vriendinnen had meegenomen. Ik kon wel wat steun gebruiken.

Kittson zuchtte en legde het tijdschrift neer. 'Jezus, Madi-son,' zei ze, 'ik ben echt niet van plan het schoolbalthema te veranderen, als je dat soms denkt! De website is al in de lucht.'

'Nee, daar gaat het niet over,' zei ik. 'Het is persoonlijk.' Ik probeerde één wenkbrauw op te trekken en veelbetekenend te kijken.

'Is er iets?' vroeg ze verbaasd terwijl ze haar neus iets optrok. 'Je gezicht trekt zo raar.'

Ik liet mijn wenkbrauw zakken. 'Nee, hoor,' zei ik. 'Ik wil alleen even met je praten.'

'Ga je gang,' zei ze. Ze pakte het tijdschrift weer op en bladerde het door. 'Hé, moet je zien,' zei ze, terwijl ze het blad naar me toe draaide. 'Reese Witherspoon is wezen winkelen.'

'Fascinerend,' zei ik. Ik moest mijn best doen me te concentreren, hoewel ik graag wilde weten wat Reese had gekocht. 'Maar moet je luisteren. Mijn Friendverse is afgelopen vakantie gekraakt.'

'Balen,' zei Kittson. Ze keek fronsend in het tijdschrift. 'Zou die rok me staan?'

'Ik probeer je iets duidelijk te maken,' zei ik, maar mijn blik gleed automatisch naar de foto van Mary-Kate Olsen. 'Nee,' zei ik, 'dat denk ik niet.'

'Ik ook niet,' zei ze, 'maar die rok zou mijn zus wel staan.' Ze maakte een ezelsoor in de bovenhoek.

'Luister,' zei ik. 'Mijn Friendverse is gekraakt. De kraker heeft ervoor gezorgd dat het nu uit is tussen Justin en mij. Je weet wel,' voegde ik er nadrukkelijk aan toe, 'mijn vríéndje.'

'Ex,' zei ze, een bladzijde omslaand.

'Oké dan,' erkende ik, 'maar alleen omdat de kraker het heeft uitgemaakt tussen hem en mij. Ik ben erdoor in de problemen gekomen, en met mij een heleboel anderen.'

'Wat verschrikkelijk,' zei ze. Toen keek ze me aan. 'Maar waarom vertel je mij dat?'

'Omdat ik wil weten of jij het hebt gedaan,' zei ik. Ik was het zat om steeds maar om de hete brij heen te moeten draaien. De schurken in Christies boeken waren altijd veel openhartiger over hun misdaden. Bovendien kon ik me niet voorstellen dat ze tijdens het verhoor de *Us Weekly* zaten te lezen. 'Of jij mijn profiel hebt gekraakt.'

Kittson rolde met haar ogen. 'Natuurlijk niet, Madison.' Ze klapte het tijdschrift dicht en gaf het aan mij. 'Ik heb hem uit. Wil jij 'm lezen?'

Ik werd verscheurd door verontwaardiging over haar reactie en nieuwsgierigheid naar wat Reese had gekocht. 'Dank je,' zei ik terwijl ik het tijdschrift aannam. 'Ik zou het maar gewoon zeggen als jij het was. Ik heb namelijk iemand ingeschakeld om het uit te zoeken,' loog ik. 'Ik kom er toch wel achter. En meneer Trent neemt het heel hoog op.' Dit was geen leugen maar een veronderstelling. Maar dat hoefde Kittson niet te weten.

'Madison, ik wil je niet beledigen, maar waarom zou ik jouw profiel willen kraken?'

Ik wou net antwoord geven toen mijn pedicuurster eraan kwam en zich voorstelde.

'Hoi, Olga,' zei ik, waarna ik het gesprek met Kittson wilde voortzetten. 'Omdat...' ging ik verder tegen Kittson.

'Wil je de plusbehandeling?' vroeg Olga.

'Nee, gewoon de basis,' zei ik. Ik wilde niet nog meer uitgeven aan een pedicure die ik anders niet had gedaan.

'Ik zou ook een voetscrub nemen als ik jou was,' zei Kittson. 'Dat meen ik. Het is het geld meer dan waard.' Ze keek met een frons naar mijn voeten. 'Zo te zien kun je die wel gebruiken.'

'Basis,' zei ik tegen Olga. 'Misschien wilde je mijn profiel kraken omdat ik met Justin...'

'Nee, heus,' zei Kittson. 'Je krijgt ook een pakking en...'

'Oké!' zei ik tegen Olga. 'Doe de plus maar. Ik vind het best.'

'Goede keus,' zei Olga. Ze begon met de scrubhandeling,

en het kietelde zo dat ik mijn best moest doen niet steeds te lachen.

'Je zult er geen spijt van krijgen' zei Kittson, en ze pakte een exemplaar van de *In Touch*.

'Luister nou,' zei ik. Ik was ervan overtuigd dat Hercule Poirot nooit iemand met het concentratievermogen van een fruitvlieg had hoeven ondervragen terwijl die een pedicurebehandeling kreeg. 'Het kan zijn dat je me wilde kraken omdat je een oogje op Justin had. En omdat je boos op me was vanwege het gedoe over het schoolbalthema. Bovendien weet je hoe het werkt, want na de vergadering vorige week zei je dat je prima overweg kon met computers.'

Olga keek naar me op en trok haar wenkbrauwen op. Ik moet toegeven dat het in mijn hoofd een stuk overtuigender had geklonken.

Kittson bladerde glimlachend verder. 'Luister, Madison, als ik Justin had willen strikken, had ik hem gewoon mee uit gevraagd. Ik hoef me niet eerst op Friendverse voor te doen als iemand anders om hem zover te krijgen.'

Ik keek naar haar – blond, C-cup, perfecte huid – en moest toegeven dat ze een punt had.

'Plus dat ik het thema heb gekregen dat ik wilde omdat mijn voorstel – sorry, hoor – gewoon beter was dan dat van jou. En maar goed ook dat ik verstand van computers heb, anders hadden we die je-weet-wel een website moeten laten maken en dat is met ons budget niet te doen.'

'Dell?' vroeg ik.

'Ja, die. Die altijd met zijn capuchon op loopt. Brr, vreselijk.' Ze streek een haarlok achter haar oor. 'En zo'n grote vangst is Justin nou ook weer niet. We hebben het afgelopen jaar al zo vaak iets met elkaar gehad.'

Ik kwam zo snel overeind dat ik Olga per ongeluk bijna in haar gezicht schopte. 'Wat? Sorry,' zei ik tegen Olga, die in het Pools begon te vloeken. 'Wat?'

'Wat?' herhaalde Kittson. 'Zoveel stelde het niet voor, hoor. Alleen als ik even geen vriendje had. Mijn vriendinnen noemen hem "Just-in Case". Lachen, joh!'

'Ik kom niet meer bij,' zei ik. Mijn hoofd tolde. Was het ook aan tussen hen toen ik met Justin ging? Ik voelde me misselijk worden, en niet alleen van de stank van de nagellak. 'Had je iets met hem toen... Ik bedoel, toen Justin en ik...'

'Nee,' zei ze, en ze keek ernstiger dan de keer dat ik op een vergadering het thema 'Del of Dame' voorstelde. 'Zo achterbaks ben ik niet. Als hij een vriendin zou hebben, zou ik niet op hem zijn afgestapt. Toen hij met jou uit begon te gaan, wilde ik ook niets met hem, omdat hij toen al een tijdje een meisje aan het lijntje hield...'

'Wie dan?' vroeg ik. Olga veinsde nu niet meer te werken en was een en al aandacht voor ons gesprek.

'Dat weet ik niet meer,' zei Kittson. Ze liet het tijdschrift zakken en rimpelde haar neus. Kennelijk zag ze er zo uit als ze diep nadacht. Daar had ik haar nog nooit op kunnen betrappen. Na een korte stilte haalde ze haar schouders op. 'Nee, ik kan het me niet herinneren. Maar ja, waar gaat het ook helemaal over? Zo geweldig is hij niet. Ik zit constant met van die lelijke zuigzoenen. We zijn toch geen brugpiepers meer? Ik heb liever... Ik weet niet, een stoerder type in elk geval. Ik denk dat ik het maar weer uitmaak. Hoe vind je deze tas?' Ze draaide de *In Touch* naar me toe.

'Leuk,' zei ik afwezig. 'Maar in het wit lijkt hij me nog leuker.'

'Echt wel!' Ze maakte weer een ezelsoor.

'Dus je wilt het uitmaken?' vroeg ik, terwijl ik haar eerdere ontboezemingen nog aan het verwerken was. 'Ga je niet met Justin naar het schoolfeest?'

Kittson rimpelde haar neus weer. 'Waarschijnlijk niet,' zei ze. 'Ik heb al nieuwe schoenen gekocht en ik denk dat hij te klein is voor mijn naaldhakken. O, moet je zien, Angelina Jolie komt hier gewoon uit de supermarkt.'

Ik leunde achterover in mijn stoel. Ik geloofde Kittson. Ze had me niet gekraakt. Van het begin af aan had ik eraan getwijfeld, en omdat ze de idiote gewoonte had altijd de waarheid te zeggen, geloofde ik haar ook nu weer.

Maar dat was niet meer mijn grootste zorg. Justin had een ander meisje aan het lijntje gehouden. Maar wie dan? En hij had dus al een jaar een knipperlichtrelatie met Kittson?

Ik besefte dat ik nauwelijks iets van Justin wist toen het aanraakte. Maar ik had gedacht dat dat bij zijn Heathcliffachtige geheimdoenerij hoorde.

Nu ik erbij stilstond, besefte ik dat we het bijna nooit over dat soort dingen hadden gehad. Meestal vrijden we alleen maar. En ik kon Kittson geen ongelijk geven wat die zuigzoenen betrof.

Maar Justin en ik hadden een band.

Toch?

'Gaat 't?' vroeg Kittson, opzij kijkend. 'Je kijkt zo raar.'

'O, ik zit alleen maar een beetje na te denken,' zei ik. Ik zag mijn relatie met Justin ineens in een heel ander daglicht. Wat wist ik allemaal nog meer niet over hem? En als Kittson het niet had gedaan, en Connor ook niet, wie dan wel? 'Ik probeer erachter te komen wie me heeft gekraakt.'

'Tja,' zei Kittson al bladerend, 'dan zul je waarschijnlijk eerst moeten uitzoeken wie genoeg om je gaf – sorry – om zoiets te doen. Snap je?'

146

'Ja,' beaamde ik. Ik keek toe terwijl Olga met langzame, gelijkmatige streken mijn teennagels Jungle Rood lakte. 'Daar ben ik mee bezig.'

13

Friendverse Chat

Nate

9/4 21.30u Hoe staat het met het onderzoek?

Madison

9/4 21.45u Tot nu toe weinig nieuws. Nog tips?

Nate

9/4 21.49u 'Je denkt misschien dat je weet hoe het zit, maar geloof me, dat is niet zo.'

Madison

9/4 21.50u Dank je. Daar heb ik wat aan.

Nate

9/4 21.54u Ik citeer! Komt uit *Chinatown*. De film.

Madison

9/4 21.55u   Duistere films kijk jij.

Nate

9/4 21.57u   Echt wel.

Madison

9/4 21.59u   Vandaar ook je schermnaam? De Hitchcock-film?

Nate

9/4 22.01u   Klopt. Alleen heet de film *North by Northwest*.

Madison

9/4 22.02u   Weet ik. Ik heb ff gegoogeld, en toen vroegen
             ze me of ik dat bedoelde.

Nate

9/4 22.04u   Je hebt erop gegoogeld?

Madison

9/4 22.05u   Eh, zoiets. Dus je wilt na je eindexamen iets
             met film gaan doen?

Nate

9/4 22.08u   Waarschijnlijk wel.

Madison

9/4 22.10u   Waar ga je volgend jaar trouwens studeren?

Nate

9/4 22.12u   Yale

Madison

4/9 22.13u   Dus je blijft in de buurt.

Nate

9/4 22.15u   Waarom niet... het is een prima universiteit.

Madison

9/4 22.15u   Dat heb ik gehoord ☺.

Nate

9/4 22.15u   Wat is nu het plan? In verband met de jacht op
de kraker, bedoel ik.

Madison

9/4 22.16u   Wordt aan gewerkt.

Nate

9/4 22.17u   Ik heb nog een tip: 'Arresteer de gebruikelijke
verdachten.' Uit *Casablanca*.

Madison

9/4 22.21u   Kijk jij alleen naar films die met een c beginnen?

Nate

9/4 22.21u   Touché. Succes met het onderzoek.
Spreek je snel weer.
Nate

Ik merkte dat het vrij lastig is een werkstuk te schrijven over
de Quakers als je net op Friendverse met een leuke jongen
hebt gechat.

En als je steeds maar nieuwe films aan je Netflix-bestelling blijft toevoegen (films waarvan sommige toevallig met een c beginnen) wordt het helemaal lastig om je op de Quakers te concentreren.

Maar het is vooral lastig om een werkstuk over de Quakers te schrijven als je computer weigert een q te produceren, wat, laten we eerlijk zijn, best cruciaal is.

Wat ik in de twintig minuten die op ons gesprek volgden wel deed: naar Nates berichten staren in de hoop er verborgen boodschappen in te ontdekken; mijn enthousiasme temperen over het feit dat de Yale-universiteit maar op een uur reizen van Putnam ligt, want wat maakte mij dat uit?; inzien dat hij me voor de gek hield met zijn 'spreek je snel weer'; inzien dat het waarschijnlijk niets te betekenen had, en als dat wel het geval was, het een goed teken kon zijn; pogen mijn werkstuk te laten beginnen met een verwijzing naar de Quakers door ze het Genootschap der Vrienden te noemen. Totdat ik het opgaf en mijn computer afsloot.

Ik checkte mijn telefoon en zag dat ik twee sms'jes had.

Ontvangen
Van: Ginger Davis
Datum: 4/4 21.17u
Maak je geen zorgen! Stemming ging niet door. Dhr. A kwam erachter & lastte vergadering af. Hiep hoi!

Ontvangen
Van: Ruth Miller
Datum: 4/4 22.19u
Hoi. Ik ga nu in de studiestand voor mijn natuurkundetoets vrijdag. Ik zie je morgen, ok? Tot gauw

Ik stuurde Ginger meteen een sms'je terug om haar te bedanken. Daarna sms'te ik Ruth. Voordat Ruth in de studiestand ging, bombardeerde ze me altijd met waarschuwingsberichten, zodat ik me niet ongerust zou maken als ze niet reageerde op mijn sms'jes en telefoontjes.

Verzonden
Aan: Ruth Miller
Datum: 4 april 22.25u
Bolleboos! Succes met stampen.
Tot gauw!

Ik ging naar beneden en trof mijn vader en moeder in de keuken aan, waar ze allebei achter hun laptop zaten.

Mijn vader droeg zijn oude Cubs-honkbalpet, die hij opzette als hij ons duidelijk wilde maken dat hij aan zijn column werkte en niet gestoord wenste te worden. Mijn moeder keek ingespannen naar haar computerscherm waarop vijf verschillende staatjes met fluctuerende koersbewegingen te zien waren.

'Hoi,' zei ik. Ik pakte een fles mineraalwater uit de koelkast en ging aan het hoofd van de tafel zitten.

'Hoi, meissie,' zei mijn moeder zonder van het scherm op te kijken. Mijn vader wees alleen maar naar zijn pet.

'Ik moet voor vrijdag een werkstuk over de Quakers schrijven,' zei ik zo luchtig mogelijk, in de hoop dat een van hen, of beiden, voor het gemak even vergat dat het al woensdag was.

'Moet ik het doorlezen?' vroeg mijn moeder.

Dat zou mooi zijn. Dan kon ze meteen de spelling meenemen, want dat scheelde me een hoop tijd. Maar dat had nu nog niet zoveel zin. 'Eh, ik heb het nog niet helemaal af,' zei ik.

'Het probleem is dat de q op mijn toetsenbord kapot is. Zou een van jullie van laptop willen ruilen?'

Mijn beide ouders keken verschrikt op.

Mijn vader wees weer naar zijn pet. 'Madison, ik zit midden in een krantencolumn voor morgen, dus die moet dadelijk naar de krant. Ik moet hem over...' hij keek op zijn horloge, 'een uur en tien minuten inleveren. Ik heb geen tijd om van laptop te ruilen.' Na die woorden trok hij de klep van zijn pet diep over zijn ogen en tikte gehaast verder.

'Waarom stel je het ook tot het laatste moment uit?' mopperde mijn moeder tegen mij.

Ik wees naar mijn vader. 'Dat doet papa ook altijd.'

'Tja,' zei mijn moeder met een snelle blik op haar scherm. 'Maar jij vraagt erom als je zonder mijn toestemming je computer verft.'

Ik nam een slok water. 'Dus als ik jou wel om toestemming had gevraagd, deed mijn q het nu nog?'

'Ik denk het wel,' zei mijn moeder, 'want ik zou het je hebben verboden.'

'Daarom heb ik het ook niet gevraagd.'

Ze zuchtte. 'Leen je broers computer maar.'

Bij het idee dat ik met toestemming van mijn ouders in Travis' googlegeschiedenis kon snuffelen, klaarde ik op. 'Meen je dat?'

'Ja,' zei ze, 'maar doe het wel boven. Ik geloof dat we je vader storen.'

Mijn vader tikte met zijn ene hand en schermde met zijn andere hand zijn oor af om ons niet te horen.

'Sorry, pap,' zei ik kalm. Ik pakte een paar kokoskoekjes uit de kast en liep weer naar boven. De deur van Travis' akelig netjes opgeruimde kamer stond open, maar hij was er niet. Terwijl ik naar zijn bureau liep om zijn laptop te pakken, viel mijn oog op een prop papier in de prullenmand onder zijn bureau. Het was een blocnotevel, maar ik zou zweren dat ik in de hoek een paar letters van mijn naam zag staan: adiso. Daar moest ik het fijne van weten.

Ik had geen idee waar Travis was. Misschien had hij zoals gewoonlijk een uur onder de douche gestaan – een van de redenen waarom ik zo blij was met mijn eigen badkamer – en kon hij elk moment binnen komen vallen. Maar ik besloot de gok te wagen. Ik ging op zijn bureaustoel zitten en pakte de prop papier uit de prullenmand. In mijn broers pijnlijk nette handschrift las ik:

Madison/macdonald	Madison!
Madisonmacdonald	macdonaldmac
Madmacdonald	justingirl
Theater	justingrrl
Justin	zeikzus

O, mijn god. Wat had dit in 's hemelsnaam te betekenen?

'Wat doe jij hier?'

Ik draaide me met een ruk om en zag Travis met zijn mobiel in zijn hand in de deuropening staan. Ik verfrommelde het vel papier en stopte het snel in de zak van mijn Putnam Pilgrims tennisteamtrui, die ik van Schuyler had gepikt – ik bedoel geleend – toen ik een keer bij haar logeerde.

'Niets,' zei ik. Ik stond op. 'Wat is er?'

Travis keek me met een frons aan. 'Wat doe je in mijn kamer?'

Ik probeerde onverschillig te kijken. 'O, mam zei dat ik jouw computer mocht lenen omdat die van mij kuren vertoont.

Maar,' ik rekte me uit en gaapte overdreven, 'ik ben eigenlijk best wel moe, dus ik denk dat ik maar op tijd naar bed ga. Morgen heb ik hem waarschijnlijk nodig, dus dan weet je dat.'

Mijn broer fronste nog steeds, en keek telkens naar zijn telefoon. 'Mam... zei mam dat je mijn computer mag gebruiken?' vroeg hij.

Zijn reactie verbaasde me. Ik had verwacht dat hij woedend zou worden, maar hij maakte een afwezige indruk.

'Ja,' zei ik nadrukkelijk. Ik nam hem aandachtig op. 'Ik beloof je dat ik je privacy niet zal schenden. Want dat zou wel héél vervelend zijn, hè?'

Travis keek op van zijn telefoon. 'Waar heb je het over?' vroeg hij een tikje nerveus.

'O, niets.' Ik keek hem strak aan. 'Welterusten,' voegde ik eraan toe, en liep toen terug naar mijn kamer. De prop papier brandde een gat in mijn zak. Ik sloot mijn deur, ging op mijn bed zitten, vouwde het vel open en las het nog een keer over.

Het zag er verdacht uit.

Had de kraker al die tijd onder mijn eigen dak geleefd?

Had Travis mijn profiel gekraakt?

Weer vielen de puzzelstukjes op hun plaats: hij had op de boot constant achter de computer gezeten, was op de wereld gezet om mij het leven zuur te maken, had me gevraagd of ik nog interessante e-mails had ontvangen.

O, ik ging mijn broer vermóórden... zodra ik bewijzen had.

Ik pakte mijn lijstje, streepte Kittson door en voegde Travis toe.

Ik keek weer naar het vel papier. Het kon niet anders of het waren pogingen mijn wachtwoord te raden. Als het Travis was gelukt, moest het wel heel makkelijk te raden zijn geweest.

En omdat de halve school intussen wist dat ik was gekraakt,

was 'ikhaatkrakers!!' waarschijnlijk ook niet al te moeilijk te raden.

Voorzichtig pakte ik mijn laptop en logde in op Friendverse. Tot mijn opluchting was mijn profiel alweer vier keer bekeken sinds ik beneden was geweest. Stiekem hoopte ik dat Nate erbij zat.

Ik ging naar 'mijn menu' om mijn password te wijzigen. Ik moest iets verzinnen wat niemand kon raden, iets wat niemand wist...

Ik keek nog eens goed naar Travis' lijstje en veranderde mijn wachtwoord toen blozend in 'Jonathangirl'.

Ik probeerde alle gedachten aan mijn nog láng niet afgeronde werkstuk, Yale-studenten en Kleine Etterbakken uit mijn hoofd te zetten en kroop onder de wol.

Maar toen ik mijn wekker had gezet en het licht had uitgedaan, besefte ik dat ik nog geen regel tekst had geoefend voor de toneelrepetitie van de dag erop.

De twee daaropvolgende uren tuurde ik in mijn script terwijl ik hardop de opgeleukte Shakespearetaal mompelde.

De volgende dag, tijdens de Engelse les, probeerde ik vergeefs mijn aandacht bij meneer Underwoods monoloog over Agatha Christies toneelstuk *De muizenval* te houden, dat we voor de les hadden moeten lezen. Maar omdat ik tot twee uur 's nachts op was gebleven om de woedescène en Felia's lied 'Ham, laat me binnen' te leren, had ik het stuk alleen maar vluchtig kunnen doornemen.

Ik had mijn opengeslagen boek onder mijn laptop geklemd, in de hoop dat meneer Underwood niet zou merken dat ik met mijn huiswerk bezig was in plaats van aantekeningen te maken. Of zat te piekeren over de rol van mijn broer in de kraakaffaire.

Zo nu en dan keek Jimmy me dreigend vanonder zijn zwarte capuchon aan, maar hij zag er toch minder boos uit dan in het begin. Toch was zijn vete met Liz er alleen maar vinniger op geworden, voor zover ik kon opmaken uit hun schermnamen. Die van Liz was veranderd in 'Matthew was veel beter dan jij ooit zult zijn' en die van Jimmy in 'Je bent een **********slet'. Matthew, daarentegen, had zijn schermnaam veranderd in 'Laat mij er alsjeblieft buiten'.

'Het is het langst opgevoerde toneelstuk!' riep meneer Underwood met stemverheffing uit. Ik keek op van de bladzijde waarop ik had gehoopt te lezen wie de dader was. 'Is dat bijzonder of niet? Dit toneelstuk breekt diverse records in het *Guinness Book of World Records*. Een invaller heeft vijftien jaar aan dit stuk gewerkt. Kun je je dat voorstellen? Vijftien jaar als invaller?'

Ik keek in de tekst op mijn lessenaar en dacht na, maar niet over *De muizenval*.

'Vijftien jaar zonder ooit zelf in de spotlights te staan. Het zou me niks verbazen als dit tot een echt moordmysterie à la Christie heeft geleid. Ik bedoel, dat heeft *All about Eve* ons wel geleerd. De invaller heeft het altijd gedaan. Die is niet te vertrouwen.'

Ik hapte naar adem. Hoe had ik zó blind kunnen zijn. Het lag zo voor de hand. Letterlijk. En ik had er overheen gekeken.

Travis was niet de kraker.

Het was Sarah Donner.

Dat kon niet anders.

Ze had een motief: ze was jaloers op me omdat ze altijd mijn invaller moest zijn, ze had het vreselijk gevonden dat ze de rol van Felia niet had gekregen, en ze zon op wraak. Ze wilde dat de Thespianen een hekel aan me zouden krijgen, dat

157

ik uit de groep werd gezet en dat ik me uit ongemak zou te-
rugtrekken uit de musical.

Van wat ik haar en de andere Thespianen had verteld, wist
ze genoeg om te doen alsof ze mij was. Het was me niet helemaal duidelijk hoe ze aan mijn wachtwoord was gekomen,
maar ik vermoedde dat ze het gewoon had geraden.

Ik pakte mijn smoezelig geworden lijstje uit mijn tas en
schreef haar naam erbij.

Mads Friendversekraker/Mogelijkheden:
1. *Kittson Pearson – Ik denk dat zij het was!*
   Motief: wilde Justin, kreeg hem zodra ze mij had wegge-
   werkt. ☹
2. *Connor Atkins – Zou het gedaan kunnen hebben! Probeert*
   me uit de leerlingenraad te werken omdat hij nog steeds boos
   is vanwege de hertelling. Verbitterd omdat ik niet met hem uit
   wilde?
3. *Mijn stomme *****broertje! Kan het op de boot hebben gedaan.*
   Motief: om mij het leven zuur te maken.
4. *Sarah Donner – Ik denk dat zij het gedaan heeft! Boos omdat*
   ze altijd invaller is/jaloers omdat ik de rol kreeg waar zij
   haar zinnen op had gezet.

Ik staarde open en bloot naar mijn lijstje. Meneer Underwood
was *De muizenval* allang vergeten en tierde dat zijn ex-vrouw
weg was geweest van *All about Eve* en dat hij dus had kunnen
weten dat ze niet te vertrouwen was.

De toneelrepetitie was over – ik keek op de klok – twee uur.
Dan zou ik Sarah Donner aan de tand kunnen voelen.

Toen mijn laatste les van die dag erop zat, pakte ik mijn cola
light en M&M's (de blauwe had ik er in de geschiedenisles al

uitgehaald) en sms'te mijn vriendinnen over de laatste ontwik-
kelingen terwijl ik naar het studiecentrum liep.

Verzonden
Aan: Schuyler Watson, Lisa Feldman, Ruth Miller
Datum: 10/4 15.05
Kittson is het niet. Ik ga Sarah Donner verhoren. Denk dat
zij het was. Wens me succes! ☺

Ik kreeg meteen twee sms'jes terug.

Ontvangen
Van: Schuyler Watson
Datum: 10/4 15.06
Meen je dat? Niet Kittson? Waarom niet? Wat is er
gebeurd? Succes met Sarah. Straks samen koffiedrinken?

Ontvangen
Van: Lisa Feldman
Datum: 10/4 15.07
Non – het was Kittson wel. Ze is gehaaid & heeft je misleid.
Cherchez la femme!

Ik staarde naar mijn mobiel en wachtte op een sms'je van
Ruth. Toen ik niks van haar hoorde, ging ik ervan uit dat haar
mobiel het om een of andere reden weer niet deed. En anders
was ze misschien bezig of stond haar telefoon nog in de studiestand.

Toch had ik het gevoel dat er iets niet klopte. Meestal lieten
we elkaar even weten dat we bezig waren en tijdelijk niet op
een sms'je konden reageren. We sms'ten vanuit de tandarts-

stoel, het vliegtuig (verboden), de bioscoop, de klas; Lisa had zelfs ooit tijdens een vrijpartij met Dave ge-sms't.

Ruth had vast een goede reden dat ze niet kon reageren, dus ik zou na de repetitie wel uitzoeken wat er aan de hand was. Ik had nu andere dingen aan mijn hoofd: ik moest tegen iemand van wie ik ooit dacht dat ze mijn vriendin was zeggen dat ik haar ervan verdacht mijn leven kapot te willen maken.

Door al het ge-sms kwam ik iets te laat bij repetitie. De *green room* was leeg, op Mark Rothmann na, die door de kamer ijsbeerde, Larry's tekst declamerend waarin hij met Claude bespreekt hoe ze Ham zullen vermoorden met een vergiftigde maïskolf.

Om Mark niet te storen, zette ik mijn tas voorzichtig op de grond, haalde mijn script en trui eruit – het was altijd koud op het podium – en liep de lichtsluis in.

Ons theater bestond slechts uit een zaal zonder coulissen, waar je alleen via een lichtsluis kon komen: een smalle gang met aan beide kanten een deur om te voorkomen dat het licht uit de green room op het podium viel. De deur naar het podium ging alleen open als de deur naar de green room dicht was, en er was een schakelaar die de deur naar de green room afsloot zolang de deur naar het podium openstond.

Omdat er in de lichtsluis geen licht was (logisch!), was het onder toneelspelers een favoriete plek om te vrijen. Vandaar dat je altijd snel doorliep naar het podium als er een paar stonden te flikflooien in het donker, wat in een historisch kostuum een hele klus was.

De lichtsluis was leeg. Maar ik was nog niet binnen of de deur naar de green room ging weer open. Het was Sarah. Ze keek me verbaasd aan.

'Mads,' zei ze. 'Hoi! Ik had je vandaag niet op de repetitie verwacht.'

Zonder erbij na te denken, haalde ik de schakelaar over, zodat de deur naar de green room werd afgesloten terwijl ik voor de deur naar het podium ging staan. Sarah stond nu tegenover me in de smalle, donkere gang. Ik zou alles wat ik wilde weten uit haar krijgen.

'Wat doe je nu?' vroeg Sarah. 'Moeten we niet... ik bedoel, moet jij niet het podium op? Volgens mij zijn ze al bij Hams "O, Felia"-lied.'

'Waarom dacht je dat ik er vandaag niet zou zijn?' vroeg ik zodra mijn ogen aan het donker waren gewend. Ik kon Sarah maar vaag zien, en we werden omringd door spookachtige schaduwen.

Ze haalde haar schouders op. 'Weet ik veel. Omdat je te laat bent? Wat maakt dat uit?'

'Veel,' zei ik. Ik twijfelde er nauwelijks nog aan dat zij de kraker was. 'Je zit me al dwars sinds ik deze rol kreeg,' ging ik verder. 'Nooit gedacht dat je daarin zo ver zou gaan.'

'Wat?' zei ze met een spottend lachje. 'Je bedoelt de stemming van gisteren? Nou, die is dankzij jouw e-mailtje niet doorgegaan.'

'Daar heb ik het niet over,' zei ik. 'Hoewel het er wel mee te maken heeft. Volgens mij heb jij in de voorjaarsvakantie mijn Friendverse gekraakt en ben jij degene die al die dingen over de Thespianen heeft gezegd.'

'Madison, dat komt allemaal uit je eigen koker.'

'Ja, maar ik heb het niet op internet gezet!' schreeuwde ik. Waarom begreep niemand het verschil?

'Ik heb je profiel niet gekraakt!' schreeuwde ze terug. 'Waarom zou ik dat doen?'

Ik werd gek van die vraag. Het deed me twijfelen aan mijn kwaliteiten als detective. Dat vroeg toch ook nooit iemand aan Miss Marple? 'Omdat...' begon ik.

Sarah schudde haar hoofd. 'Jezus, heb eens wat meer vertrouwen in me, Madison. Als ik problemen met iemand heb, praat ik dat uit. Daar hoef ik geen profiel voor te kraken.'

Een luide bons op de deur van de green room deed ons opschrikken. 'Hé!' hoorde ik Mark aan de andere kant van de deur roepen. 'Willen jullie daarbinnen ergens anders gaan rotzooien en mij erin laten? Ik moet het podium op!'

Sarah wilde de deur openmaken, maar ik ging voor de schakelaar staan. 'Ik geloof je niet,' zei ik. 'Ik bedoel, er zit je duidelijk iets dwars, maar je durft het niet in mijn gezicht te zeggen. Je organiseert geheime bijeenkomsten om mij uit de groep te werken.'

'Hé!' riep Mark weer, harder nu. 'Ik moet nú op. Zet er een punt achter!'

Sarah kruiste haar armen voor haar borst. 'Oké dan,' zei ze. 'Ik vind dat je deze rol niet verdient. Ik denk dat ik het beter kan. Ik moet bekennen dat er wel iets van *schadenfreude*' (geen eindexamenwoord, maar een woord dat onze theatergroep kende van de talloze keren opgevoerde soundtrack van *Avenue Q*), 'bij zat toen je werd gekraakt. Maar ik was het niet.'

Voor zover ik Sarahs gezicht kon zien in het donker, had ik het gevoel dat ze de waarheid sprak. Ik wist hoe ze zou kijken als ze dit moest acteren, en dat zou er veel onnatuurlijker uitzien, met veel te veel handgebaren.

'Nee?' zei ik.

'Nee,' herhaalde ze. 'Maar ik moet eerlijk zeggen dat ik eigenlijk wel blij was toen het gebeurde. Want je praat altijd achter andermans rug om. De meeste Thespianen voelen zich beledigd door al je kritiek.'

Ik voelde me enigszins schuldig en kreeg een knoop in mijn maag, zoals wel vaker de laatste tijd. 'Ja, maar ik heb het ze toch niet in hun gezicht gezegd?' mompelde ik. Eerlijk gezegd vond ik mijn excuus al een stuk minder overtuigend klinken.

Sarah schudde haar hoofd. 'Dat komt op hetzelfde neer. Of zoals Shakespeare schreef: "Leen ieder 't oor, geef weinigen uw woord; Hoor ieders mening, doch bewaar uw oordeel."'

'Goed,' zei ik, om te voorkomen dat ze aan een monoloog begon. Het was al erg genoeg zonder dat ze Hamlet citeerde. Ik zuchtte. Ik was ervan overtuigd geweest dat Sarah mijn profiel had gekraakt, maar stiekem was ik blij dat het niet zo was. Het enige wat ik wilde, was weten wie het had gedaan. 'Het spijt me.'

Ze stak haar handen in de zakken van haar overall. 'Mij ook. Ik geef toe dat ik het vervelend vind dat ik de rol niet heb gekregen.'

'Hé!' riep Mark met overslaande stem. Hij begon op de deur te beuken. 'Laat me er alsjeblíéft in. Ik mis mijn scène!'

Sarah en ik keken elkaar aan. 'Dus we zijn weer vrienden?' vroeg ik.

Ze gaf me een knuffel. (Lopendebandwerk onder Thespianen.) 'Natuurlijk,' zei ze. 'Ik hoop dat je de kraker gauw vindt.'

'Dank je,' zei ik terwijl ik achter haar naar de schakelaar tastte. Een seconde later kwam Mark binnenvallen. Hij had een woeste blik in zijn ogen.

Toen hij Sarah en mij in een omhelzing aantrof, werden zijn koolomrande ogen groot van verbazing.

'Sorry,' stamelde hij. 'Ik wist niet dat... dat jullie twee...'

'Maak je geen zorgen, Mark,' zei ik met een flauwe glimlach naar Sarah. Hij liet de deur achter zich dichtvallen, zodat de deur naar het podium open kon. 'Trouwens, die eyeliner staat je goed,' voegde ik er fluisterend aan toe.

Hij glimlachte nerveus. 'Ik kan je wel een paar tips geven, als je wilt.'

'Leuk!' zei ik zo enthousiast mogelijk.

Op het toneel troffen we een woeste meneer Allan aan. Niet omdat we te laat waren voor onze cues (want dat was niet zo), maar omdat de derde scène, met Trudy, Ham en Claude, niet van de grond kwam. Megin en Jamie, die Trudy en Claude speelden, hadden het de avond ervoor uitgemaakt en weigerden in elkaars buurt te komen, laat staan elkaar te zoenen zoals het script voorschreef.

Toen ik begreep dat ik niet werd gemist, liep ik naar de achterste rij in de zaal en ging naast Ginger zitten, die boven haar script lag te dutten. Ik trok mijn trui aan en sloeg mijn script open.

Vervolgens haalde ik mijn lijstje tevoorschijn en streepte Sarah door.

14

Lied: *He ain't heavy, he's my brother* – The Hollies
Quote: 'Verrassingen zijn vervelend.' – Jane Austen

Ik had net afscheid genomen van Ginger, Sarah, Mark en de rest van de groep, die me zoetjes aan leken te vergeven – door de Megin&Jamie-ruzie leek de kraakaffaire naar de achtergrond te verdwijnen – toen mijn mobiel ging.

Ik keek op mijn telefoonschermpje en zag dat het mijn moeder was. Terwijl ik in gedachten naging of ik misschien iets had vergeten of gedaan wat niet mocht, nam ik op.

'Hoi, mam,' zei ik, naar mijn auto lopend.

'Hoi, schat,' zei ze. Ze klonk gejaagd. 'Luister, je vader is naar een avondwedstrijd en ik zit hier met een inflatiedaling van ruim twee procent en heb zodadelijk een telefonische vergadering.'

'O,' zei ik. 'Da's klote.'

'Ik wil niet dat je "klote" zegt, Madison,' zei ze bijna automatisch. 'Dus zou jij je broer van school willen halen? Haal maar een pizza of zo voor vanavond, want ik ben pas laat thuis.'

Ik zuchtte. Ik vond het vervelend om Travis te moeten ophalen. Zijn klasgenoten gooiden me meestal allerlei opmerkingen – die vaak nog klopten ook – over mijn cupmaat naar mijn hoofd. 'Oké,' zei ik terwijl ik in mijn auto stapte. Ik trok het portier dicht en startte de motor.

'Bedankt, lieverd,' zei mijn moeder. 'Je houdt nog wat van me tegoed. En denk erom, plaag Travis niet met dat meisje waar hij een oogje op heeft. Je weet zelf hoe vervelend dat is op die leeftijd...'

Ik spitste mijn oren. 'Meisje?' herhaalde ik. Ik besefte dat ik op een goudmijn was gestuit en voelde me tegelijk misselijk en opgewonden worden. 'Welk meisje?'

Als mijn moeder niet zo gestrest was geweest, was haar de gretigheid in mijn stem zeker opgevallen. Maar ze merkte het niet, dus ik juichte stilletjes om de twee procent inflatiedaling.

'O, daar had hij het gisteravond met je vader over. Hij wilde zogenaamd raad vragen voor een vriend die een meisje mee uit wilde vragen. Schattig, hè?'

'Heel snoezig,' zei ik. 'Hoe zei je dat ze heette?'

'O,' zei mijn moeder nog afweziger dan anders, 'ik dacht Olivia... Olivia... nog wat. De achternaam begon met een p, meen ik. Pearson ofzo?'

Yes! 'Goed om te weten,' zei ik, en ik balde triomfantelijk mijn vuist.

'Madison,' zei mijn moeder, en haar stem klonk alweer iets helderder, 'dit vertel ik je in vertrouwen, dus begin er alsjeblieft niet over tegen Travis.'

'Natuurlijk niet,' verzekerde ik haar. 'Succes met de inflatiedaling. We bewaren wel wat pizza voor je!'

Zodra ik had opgehangen, begon ik mijn plan uit te stippelen. Dit was mijn kans om erachter te komen of Travis mijn profiel had gekraakt – en, als bonus, om hem terug te pakken voor de dertien jaar dat hij mij het leven zuur had gemaakt.

Pearson... er begon een belletje te rinkelen over een opmerking van Kittson in de nagelstudio. Ik had haar telefoonnummer in mijn mobiel staan voor 'schoolfeestnoodgevallen' (ze had er niet bij gezegd wat ze daarmee bedoelde en ik had het niet durven vragen), en belde haar.

Ze nam na vier keer overgaan op. 'Kittson,' zei ze bij wijze van begroeting.

'Madison,' antwoordde ik, want misschien was dit de nieuwe trend.

'Hoi. Wacht eens. Wat?' zei ze. 'Met wie?'

'Hoi, Kittson,' zei ik. Ik vond dat haar reactievermogen aardig wat te wensen overliet. 'Met Madison.'

'Hoi, Madison,' zei ze. 'Wat is er? Hoe gaat het met je voeten? Ik had gelijk, hè? Die plusbehandeling is het dubbel en dwars waard.'

Ik keek naar mijn felrode teennagels. Het was vreemd om zo met Kittson te praten. Bijna alsof we... geen vriendinnen, natuurlijk... maar iets waren. Ergens in mijn achterhoofd wist ik dat ik boos op haar moest zijn vanwege Justin, maar dat was ik niet. Voor mijn gevoel leek het al behoorlijk lang geleden dat Justin en ik voor het laatst samen waren. 'Absoluut,' zei ik. 'Mijn tenen zien er fantastisch uit. Maar ik wou je iets vragen...'

'En vergeet niet,' ging ze verder, alsof ik niets had gezegd, 'dat we maandag weer een vergadering hebben. We moeten decoraties en glitterkleuren uitkiezen.'

'Oké,' zei ik. 'Ik zal er zijn. Maar ik heb nog een vraagje. Je zus...' Ik zweeg. Ik zou gezworen hebben dat Kittson het over haar zus had gehad, maar ineens was ik daar niet meer zo zeker van.

'Olivia?' zei ze. 'God, wat heeft ze nou weer uitgespookt?'

'O, niets,' zei ik. Mijn gezicht brak open in een grijns. 'Ik vroeg me alleen af of je dat leuke rokje nog voor haar hebt gekocht. Ik wil er geen kopen als zij er ook een heeft.' Hoewel dit eigenlijk nergens op sloeg, vermoedde ik dat Kittson dat wel logisch vond.

'Nee,' zei ze, 'ze verdient even geen cadeautje. Ze doet vervelend. Volgens mij heeft ze een oogje op iemand.'

'Spannend,' zei ik. Ik stond op het punt te vragen of ze al wist wat ze met Justin zou doen – of het nog aan was en ze samen naar het schoolfeest zouden gaan – maar hield me in. 'Nou, ik moet ophangen,' zei ik met een blik op mijn dashboardklok. De repetitie was iets uitgelopen en ik moest het Etterbakje nog ophalen.

'Ik ook,' zei ze. '*The Hills* begint zo. Vergeet de vergadering niet. Ik zie je!' Na die woorden hing ze op.

Ik googelde even snel op mijn telefoon en vond het adres dat ik zocht. Daarna pakte ik een stuk papier uit mijn tas, zette het in de bekerhouder en reed naar de onderbouwlokalen, die maar een paar blokken verwijderd lagen van de bovenbouw.

Omdat ik te laat was, waren Travis' puberale vriendjes al naar huis, zodat ik gelukkig door niemand voor gek kon worden gezet. Travis zelf zat met een chagrijnig gezicht op een bankje bij de ingang. Toen ik voor de poort stopte, kwam hij naar de auto gelopen, stapte in en trok het portier met een harde klap dicht.

'Waar is mama?' vroeg hij. Hij zakte onderuit in zijn stoel en zette een ander nummer op de iCar op.

'Ze moest werken,' zei ik. Ik keek naar het adres op het

schermpje van mijn mobiel terwijl ik richting Lakeview Drive 65 reed. 'Maar ze zei dat we een pizza mochten halen. Heb je daar zin in?'

'Mij best,' zei hij. Hij haalde zijn draagbare Playstation uit zijn tas en begon hier en daar iets op te blazen.

'Zeg, Travis,' zei ik tussen neus en lippen door terwijl ik in de tegengestelde richting van Putnam Pizza reed, 'je was wel vaak online op de Galapagoseilanden.'

'O ja?' mompelde hij, zijn oorlog tegen de piepkleine buitenaardse wezens voortzettend.

'Wat deed je al die tijd online?'

'Wat kan jou dat boeien?' zei hij. Hij zette het volume van de iCar harder.

Ik zette hem weer zachter. 'Gewoon uit nieuwsgierigheid,' zei ik. 'Maar ik ben ook nieuwsgierig of je dít kunt uitleggen,' zei ik. Ik pakte het vel papier dat ik de avond ervoor in zijn kamer had gevonden uit de bekerhouder en gooide het op zijn schoot.

Hij zette grote ogen op. 'Hoe kom je híér aan?'

'Uit jouw prullenbak,' zei ik. 'Leg maar eens uit.'

'Je hebt het uit mijn kamer gepikt!'

'Je probeerde achter mijn wachtwoord te komen, hè?'

Travis reageerde niet, wat ik als een bevestiging opvatte. 'Mijn Friendverse is in de vakantie gekraakt,' zei ik. 'En degene die dat heeft gedaan heeft me flink te pakken willen nemen.'

Travis tuurde nog altijd recht voor zich uit. Op zijn Playstation vermenigvuldigden de buitenaardse wezens zich in rap tempo, klaar om de planeet over te nemen.

'Was jij het?' vroeg ik terwijl ik een bocht opzettelijk iets te scherp nam. 'Ik zou het maar eerlijk zeggen, als ik jou was.'

Travis keek me met een spottend lachje aan. 'O?' zei hij. 'Ga je het anders tegen papa en mama zeggen? O, o, ik doe het in mijn broek. Ik zeg gewoon dat jij dat papier uit mijn kamer hebt gejat.'

'Nee, niet tegen papa en mama,' zei ik luchtig terwijl ik Lakeview Drive in sloeg. 'Maar we zijn nu bijna bij het huis van Olivia Pearson. Je weet wel, dat meisje waar je een oogje op hebt?' Travis' gezicht kleurde in een mum van tijd vuurrood en toen weer lijkbleek.

'Hoe weet jíj dat?' vroeg hij met overslaande stem.

'O, ik heb zo mijn bronnen,' zei ik. 'Dus als je wilt voorkomen dat ik haar verklap dat je smoor op haar bent, zou ik maar gauw de waarheid vertellen.'

'Dat doe je toch niet,' piepte Travis. Zijn gezicht werd nog bleker.

'Wedden?' zei ik. Ik wees naar de brievenbus met nummer 65 erop. 'We zijn er bijna. Ze hoort vast graag hoe jij papa om raad hebt gevraagd hoe je haar kon...'

'Nee!' riep Travis uit. 'Ik vertel je alles, oké? Dat beloof ik. Dus rij nu maar door, voor ze me ziet.'

'Beloof je dat echt?' vroeg ik. Ik zwenkte uit naar de oprit van de Pearsons en trommelde met mijn vingers op de claxon.

'Ja, dat beloof ik echt!' verzekerde Travis. 'Ik zweer het! Rij nou door, Madison!'

Ik minderde vaart, alsof ik nog twijfelde, om hem terug te pakken voor al die jaren dat hij me had gepest. Toen haalde ik mijn hand van de claxon en keerde de auto op de weg. 'Oké,' zei ik. 'Voor de draad ermee.'

'Ik heb je niet gekraakt,' zei Travis zacht. Hij was nog altijd vijf tinten lichter dan normaal, maar hoe verder we Lakeview Drive 65 achter ons lieten, hoe meer kleur hij weer

kreeg. 'Dat zweer ik. Ik wist niet eens dat je was gekraakt, totdat je het net zei.'

'En dat papier daar dan?'

'Dat ik je niet heb gekraakt, wil niet zeggen dat ik het niet
heb geprobeerd,' zei hij met een zelfvoldane glimlach. 'Maar
het lukte me niet.'

Ik sloeg links af de straat naar het centrum en Putnam Pizza
in. 'Maar waarom was je op de boot dan steeds online?'

'O,' zei hij, en hij bloosde even. Travis' wangen kregen het
flink te verduren vandaag. 'Ik probeerde Olivia te e-mailen.'

Hij sprak haar naam uit op een toon waarop hij gewoonlijk
over 'Tony Hawk' en 'Doritos' sprak.

'De hele tijd?' vroeg ik sceptisch.

'Ja,' mompelde hij. 'Alles wat ik schreef klonk zo stom dat ik
het toch maar niet heb verstuurd. Hoewel,' corrigeerde hij
zichzelf, 'ik heb jouw e-mailadres naar een paar spam-websites
gestuurd. Maar dat is alles. Heb je al aanbiedingen gehad voor
een nieuwe hypotheek of een supergoedkope lening?'

'Nee,' zei ik, en ik keek hem woedend aan. 'Maar die zullen
dan nog wel komen. Laat ik niet merken dat je het nog een
keer doet, want ik heb het telefoonnummer van haar zus,'
voegde ik er snel aan toe toen ik zag dat hij ad rem uit de hoek
wilde komen.

Travis knikte. 'Oké,' bromde hij.

We reden de parkeerplaats van Putnam Pizza op, gingen
naar binnen en bestelden een pizza. Dave en Big Tony waren
er niet, dus de kans was groot dat ik ananas op mijn pizzahelft
kreeg.

We liepen naar buiten en wachtten op het terras. Omdat
Putnam Pizza naast ijssalon Gofer lag, dwaalden mijn ogen
telkens af naar de plek waar Nate en ik ijs hadden zitten eten.

Was het echt nog maar drie dagen geleden? Ik had het gevoel dat ik hem al veel langer kende.

'Dus je zegt het niet?' vroeg Travis na een korte stilte. 'Tegen Olivia. Of haar zus?'

Ik legde mijn hand op mijn hart. 'Dat beloof ik, zolang jij me niet probeert te kraken. Afgesproken?'

Hij knikte. 'Afgesproken.'

'En vertel nou maar eens waarom je die Olivia leuk vindt.'

Travis rolde met zijn ogen. 'Omdat ze hot is. De hotste van de tweede klas.'

'O, alleen daarom?' vroeg ik. 'Meen je dat?'

Travis bloosde weer. Ik probeerde er niet te veel van te genieten. 'Nee,' zei hij. 'Ik bedoel, ze is echt hot. Ik bedoel, echt superhot. Maar ze is ook leuk, en ze lacht altijd om mijn grapjes. Ik weet het niet,' zei hij. Hij stak zijn handen in zijn zakken. 'Het is gewoon zo, oké?'

'Tuurlijk,' zei ik. 'O ja, toen ik haar zus gisteren sprak, zei ze dat ze vermoedde dat Olivia een oogje op iemand had.'

'O ja?' zei Travis. Hij keek me gretig aan, hoewel hij deed alsof het hem niets kon schelen.

'Ja,' zei ik. 'Misschien ging dat wel over jou!' We zaten even zwijgend tegenover elkaar, en toen zei ik: 'Als je wilt, kan ik het voor je vragen. Heel subtiel natuurlijk.' Ik vroeg me af of Kittson wel wist wat subtiel was, maar ik kon het altijd proberen.

Travis knikte zo enthousiast dat hij op Ruth's knikkende Darwin-poppetje leek. 'Ja,' zei hij, 'dat zou gaaf zijn.'

'Oké,' zei ik. 'Maar moet je horen, Travis. Je moet niet alleen met iemand verkering willen hebben omdat ze hot is. Je moet iemand zoeken met wie je kunt praten en die dezelfde interesses heeft als jij. Iemand met wie je kunt lachen...'

'De pizza is klaar!' riep Little Tony door de openstaande

deur. Travis en ik sprongen op om onze pizza aan te pakken.

Ik merkte dat mijn blik weer naar de plek gleed waar Nate en ik hadden gezeten. Ik besefte dat ik bij het omschrijven van de ideale verkering helemaal niet aan Justin had gedacht.

Ik had het over Nate.

15

Ik merkte dat het lastig was een werkstuk over de Quakers te schrijven als je vrienden willen msn'en en er geen genoegen mee nemen als je niet reageert.

La Lisse: Mad, waar ben je?
madmac: Hier. Maar ik moet morgen een lang werkstuk inleveren en ik ben nog maar net begonnen. Dus ik kan niet lang online blijven.
ruthless: Sorry dat ik niet op je sms'je kon reageren. Ik had een bijeenkomst met mijn studiegroep. Hoe ging het met Sarah?
madmac: Vrijgesproken.
La Lisse: Vraiment?
madmac: Ja, echt. En Travis was het ook niet.
misswatson: Wat nu?
madmac: Geen idee. ☹

ruthless:	We komen er wel achter.
La Lisse:	Mad, hoe gaat het met de ijsjongen?
misswatson:	Wie?
madmac:	Nate?
La Lisse:	Natuurlijk Nate.
madmac:	Ik heb hem niet meer gesproken. We hebben gisteren gechat. Hij gaat volgend jaar naar Yale!
misswatson:	Die is dus superslim!
La Lisse:	Maar dat wisten we al.
ruthless:	We weten alleen wat Madison ons heeft verteld.
ruthless:	Wie weet heeft ze wel gelogen, zodat het heel wat lijkt. ☺
madmac:	Hé!
ruthless:	Geintje.
madmac:	Nee, hij is echt leuk & slim. Ik weet niet...
La Lisse:	Volgens mij is hier iemand smoor.
misswatson:	?????
La Lisse:	Smoorverliefd.
misswatson:	O, wie?
La Lisse:	Madison.
misswatson:	O. En Justin dan?
ruthless:	Shy heeft een punt... hoe zit het met Justin?
madmac:	Gewoon. Ik vind Nate interessant, dat is alles.
La Lisse:	'Interessant', hmm? ♥♥♥
madmac:	O, hou op.
misswatson:	OMG, wat snoezig! Hoe doe je dat?
ruthless:	Tja. Om het te kunnen beoordelen, zullen we zelf zijn profiel moeten bekijken.
misswatson:	Goed idee!

misswatson:	Hoe doen we dat?
madmac:	Zijn profiel staat op privé.
La Lisse:	Mad, als jij ons je wachtwoord geeft, kunnen wij als jou inloggen en zijn profiel bekijken.
madmac:	Eh, ik wil jullie niet beledigen, jongens, maar ik ben bang dat iemand dit gesprek kraakt. Voor je het weet lezen we morgen in een blog dat ik van school wil om paaldanseres te worden.
La Lisse:	Daar heb je een punt.
misswatson:	Dat ga je toch niet doen, hè, Mad? Paaldansen, bedoel ik?
madmac:	Nee! Zo komen de geruchten de wereld in.
La Lisse:	We kunnen ook in de mediatheek afspreken. Dan log jij in en bekijken wij zijn profiel.
ruthless:	Friendverse is op alle schoolcomputers geblokt.
madmac:	Echt?
misswatson:	Balen!
La Lisse:	En hoe weet jij dat, Rue? ♥ Hmm? Heeft dat toevallig iets te maken met... Dell ♥♥♥♥♥
misswatson:	⬭!
madmac:	???
misswatson:	O, shit, ik wilde ook zo'n hartje... momentje...
ruthless:	Mad, neem morgen gewoon je computer mee naar school, dan kun je inloggen op het draadloze netwerk en kunnen we zo zijn profiel bekijken.
madmac:	Mijn computer is nogal onvoorspelbaar...
La Lisse:	O, toe nou!
misswatson:	🔔!📖!ᘔ!

madmac: Nou, vooruit dan...

La Lisse: Tres bien!

ruthless: Gaaf! Ik moet gaan. Moet natuurkunde leren.

madmac: Ik ook. Geschiedeniswerkstuk. Bèh.

misswatson: ✈!☎!◗?

misswatson: ☹

La Lisse: Shy, ik weet niet eens waar je ze vandaan haalt.

misswatson: Ik geef het op.

ruthless: Oké, Mad, zullen we morgen bij je kluisje afspreken?

madmac: Strak plan!

La Lisse: D'accord.

ruthless: Wens me succes!

madmac: Succes!

ruthless is uitgelogd 21.45u

La Lisse: Au revoir!

La Lisse is uitgelogd 21.46u

madmac: Oké, Shy, ik moet aan mijn werkstuk beginnen.

misswatson: ♥

madmac: Proficiat!

misswatson: Het is me gelukt! ♥♥♥!!!!

madmac: Over hartjes gesproken, is het aan tussen jou en Connor?

misswatson: Niet echt. Maar ik heb morgenavond wel een afspraakje met hem!!! !!! ♥♥♥♥♥♥♥♥♥!!!!!!!

madmac: Ik wil morgen alle details horen!

misswatson: Echt wel! Welterusten, Mad! Succes met je
             werkstuk.
madmac: Welterusten, Shy.
misswatson is uitgelogd 21.48u
madmac is uitgelogd 21.49u

'Hoi,' fluisterde ik in mijn mobiel zodra Ruth opnam. Ik keek op de klok: 03.30u.

Ik was pas een halfuur daarvoor naar bed gegaan, nadat ik mijn ongelofelijk slechte werkstuk had afgerond. Ik had me voorgenomen extra vroeg op te staan om er nog het een en ander aan te verbeteren. Maar ondanks het late uur was ik klaarwakker en lag ik al een halfuur lang naar de *glow-in-the-dark*-sterren te staren die Ruth en ik op mijn plafond hadden geplakt toen we nog in de brugklas zaten. Omdat ik niet kon slapen, had ik ingelogd op Friendverse en gezien dat Ruth haar status had gewijzigd in 'RueRue is klaar voor de natuurkunde-toets!' Ik hoopte dat ze nog niet sliep. 'Heb ik je wakker gebeld?'

Ze lachte. 'Natuurlijk niet.' Ruth was een kortslaper; soms had ze perioden dat ze nauwelijks sliep. Daarom wist ze meer dan wij allemaal bij elkaar. Als ze niet kon slapen, bleef ze uren op en keek naar documentaires en zenders als Discovery Channel.

'Kun je niet slapen?' vroeg ik.

'Nee, het is de laatste tijd weer raak.'

'Wat zenden ze op het moment uit op History Channel?'

'De Spaans-Amerikaanse Oorlog. Niet echt boeiend dus,' zei ze. Aan het geluid op de achtergrond te horen, was ze aan het zappen. Als ik ergens jaloers op was, was het op het feit dat Ruth een televisie op haar kamer had. Mijn ouders vonden dat niet goed, en dvd's kijken op mijn laptop was toch net even iets anders. 'Waarom ben je nog wakker? Vanwege je werkstuk?'

'Nee,' zei ik. 'Dat heb ik af. Nou ja, af...' Ik ging rechtop zitten en trok de quilt over mijn knieën. 'Ik lig te malen.'

'Over dat kraakgedoe?' vroeg ze meelevend.

Ik zuchtte. 'Ja. Ik gedraag me als een idioot. Ik beschuldig mensen die er niets mee te maken hebben. Maar ja, ik wil gewoon weten wie het was.'

'Logisch,' zei ze. 'Maar volgens mij beginnen mensen het te vergeten.'

'Jimmy en Liz anders niet.'

'Oké, die twee uitgezonderd.'

'Maar ík ben het nog lang niet vergeten! En nu ben ik door mijn verdachten heen en weet ik niet meer wat ik moet doen.'

'Het van je afzetten?' zei ze. Ik hoorde een glimlach in haar stem toen ze eraan toevoegde: 'En aan Dell vragen of hij je computer extra wil beveiligen?'

'Goed,' zei ik. 'Ik zal het proberen.'

'Oké.'

'Ga je het me nog vertellen?' vroeg ik.

'Wat?'

'Van je geheime liefde! Daar had je het toch over in de...'

'O, dat.' Ruth zuchtte. 'Er is niemand. Ik was Lisa maar een beetje aan het plagen.'

'O?' Ik was teleurgesteld. 'Ik dacht dat je het meende.'

'Nou ja,' zei Ruth na een korte stilte. 'Er is... wel iemand... aan wie ik al een tijdje moet denken. Maar daar kan ik op dit moment nog niets over zeggen. Ik vertel het je wel als ik zover ben, oké?'

'Natuurlijk,' zei ik. 'We vertellen elkaar altijd alles.' Het gezap op de achtergrond stopte en ik hoorde vertrouwde stemmen. 'Waar kijk je naar?'

'*Beaches*,' zei Ruth schaapachtig.

'*Beaches*!' riep ik uit. 'O mijn god, dat heb ik in geen jaren gezien. Welke aflevering?' Ruth en ik hadden in groep zes een serieuze *Beaches*-verslaving gehad. We keken altijd als ik bij haar logeerde (zo ongeveer elke vrijdag). Ik kende de dialogen praktisch van buiten.

'Ze hebben ruzie omdat Barbara met die leuke directeur naar bed is geweest.'

'Nou, zo leuk was die niet.'

'Dat zie je toch echt verkeerd.'

'Maar waarom zou je daar ruzie over krijgen?' zei ik. Ik trok de quilt over mijn schouders en zag de aflevering weer voor me. 'Ik bedoel, Bette Midler had Barbara Hershey niet gezegd dat ze hem leuk vond. Bovendien had ze niks met die directeur. Waarom zou ze dat dan niet mogen doen?'

'Maar een echte vriendin had dat toch geweten?' vroeg Ruth. Het volume van de televisie ging omhoog.

'Ik weet het niet,' zei ik geeuwend. 'Misschien wel.'

'Je klinkt moe.'

'Ja, ik krijg ineens slaap.'

'Het is ook al vier uur.'

'Ja.'

'Ze zijn nu het beha-lied aan het zingen,' zei ze. 'Wil je dat nog horen?'

'Ja, leuk,' zei ik. Het beha-lied had ik altijd enig gevonden. Ruth zette het geluid nog harder en hield haar mobiel bij de televisie. Samen luisterden we naar Bette Midler. 'Dank je,' zei ik toen het lied uit was. Ik geeuwde weer, en ineens drong het tot me door dat het al vier uur in de ochtend was. 'Ik ga slapen.'

'Goed idee,' zei ze. 'Ik spreek je later.'

'Ik spreek je snel,' antwoordde ik, en hing op. En toen sliep ik. Wel twee uur lang.

Toen ik de volgende morgen bij mijn kluisje kwam, stonden mijn vriendinnen al op me te wachten. Ik nam een flinke slok van mijn Stubbs-latte, in de hoop het gebrek aan slaap te kunnen compenseren met cafeïne.

Toen ik in het koude ochtendlicht naar mijn werkstuk had gekeken, had ik me wel een beetje zorgen gemaakt. Ik had zes centimeter brede kantlijnen gemaakt en alles geprint in Courier 14, en had geconcludeerd dat de Quakers (ik had mijn vaders laptop gebruikt om de onmisbare Q te kunnen tikken) botsten met de plaatselijke bevolking omdat ze te 'Quakeriaans' waren.

'En?' vroeg Schuyler enthousiast. 'Heb je je laptop bij je?'

Ik klopte op mijn grote canvas Pilgrim Bank-tas. 'In mijn tas.'

Lisa rolde met haar ogen. 'Kalm aan, Shy,' zei ze. 'Het is maar een laptop. Mad, schiet op.'

Ruth keek hoofdschuddend toe en ging verder met het doornemen van haar natuurkundeaantekeningen.

'Ik ben benieuwd naar Shy's afspraakje,' zei ik.

Schuyler schudde haar hoofd en wees op mijn tas. 'Laptop!'

Ik vond het leuk dat ze allemaal zo enthousiast waren over Nate, maar was ook wel een beetje nerveus om zijn profiel aan ze te laten zien. Stel dat ze hem alleen maar best-wel-leuk vonden, zoals ikzelf in het begin. Maar meteen daarna vroeg ik me af waarom ik me daar druk over maakte. Ik bedoel, hij was niet meer dan een vriend.

'Laat zien!' zei Schuyler terwijl ze aan mijn tas rukte. Ik

haalde mijn roze laptop eruit en wilde hem net openmaken, toen de eerste bel ging.

'*Bof*,' riep Lisa uit. '*C'est dommage, non? Mais c'est la vie.*' Ze haalde één schouder op. '*Maintenant, je vais à la classe d'anglais. À tout a l'heure!*' Ze zwaaide en liep de gang uit.

Ik staarde haar na. 'Het wordt steeds erger met haar.'

Schuyler keek teleurgesteld. 'Mad, ik wilde zijn profiel zien. Ik had me er zo op verheugd!'

'In de middagpauze,' beloofde ik haar. 'Wanneer gaan we het trouwens over Connor hebben?'

Ruth bladerde nog altijd door haar aantekeningen. 'Maddie, heb je niet al eerder een uur vrij? Doen we het dan.'

Ik wilde zeggen dat ze me geen Maddie moest noemen, maar had de puf niet. Niet iedereen was fit na een slapeloze nacht. 'Nee, ik heb vanochtend geen uur vrij,' zei ik geeuwend. 'Helaas, want ik zou wel even een dutje willen doen.'

Als je een vrij uur had, kon je naar de schoolzuster gaan en zeggen dat je je 'maandelijkse lasten' had, en dan mocht je een uurtje je ogen dicht doen in een van de met gordijnen afgeschermde bedden. Omdat ze niet bijhield wie er was geweest, kon je gerust een paar keer per maand bij haar aankloppen zonder dat ze het in de gaten had. Vandaar dat ik me wel zorgen maakte over haar deskundigheid als verpleegster, maar intussen was het wel superhandig.

De bel ging weer en Schuyler en Ruth haastten zich naar hun lessen. Ik keek bezorgd naar mijn belabberde werkstuk en zag meteen al drie spelfouten die de spelchecker er niet had uitgehaald omdat het bestaande woorden waren in een verkeerde context.

Ik zuchtte en borg mijn laptop op in mijn kluisje. Ik draaide net aan het laatste cijfer van mijn code toen Liz kwam aan-

hollen en ongeduldig aan haar cijfercombinatie begon te draai-
en. Ze scheen haast te hebben – wat ik ook zou moeten hebben, maar ik was nog te moe om me te haasten – dus ik wilde
haar niet lastigvallen met mijn smeekbeden weer vriendinnen
te worden.

Maar toen ze me aankeek, glimlachte ik voorzichtig naar
haar, en na een korte aarzeling glimlachte ze flauwtjes terug,
dus ik hoopte dat we op de goede weg waren. Toen de laatste
zeg-waarom-ben-je-nog-niet-in-de-klas-bel?! ging, dronk ik
snel mijn koffie op en holde naar het biologielokaal.

Tot mijn opluchting bleek Brian het niet erg te vinden dat
ik slaperig voor me uit zat te staren terwijl ik eigenlijk de che-
mische samenstelling van zeewater zou moeten onderzoeken.
Marilee was druk aan het sms'en onder de labtafel over een of
ander drama waarover ze me ongetwijfeld zou inlichten zodra
ze haar bronnen had geverifieerd.

Maar toen ik Brian over een feest hoorde praten, kwam ik
weer een beetje bij mijn positieven. 'Wat?' zei ik. Ik schoot
overeind en controleerde snel mijn mondhoeken om te zien of
ik niet had gekwijld. 'Wat zei je, Brian?'

Brian keek fronsend naar mijn mengbeker. 'Voorzichtig
daarmee,' zei hij. Vervolgens keek hij naar Marilee, wiens duimen over haar telefoontoetsen vlogen, en dempte zijn stem. 'Ik
zei dat ik morgenavond een klein samenzijn organiseer.'

'O ja?' Ik zette de reageerbuis in de houder. 'Ik dacht dat je
de rest van het millennium huisarrest had.'

'Klopt,' zei hij. 'Formeel gezien wel. Maar mijn ouders gaan
dit weekend naar een fitness- en afslankweekend, dus ik heb
het huis voor mezelf.'

Kennelijk was Brian geen snelle leerling. Maar dat had ik eigenlijk al kunnen raden uit de zesjes die we voor de labversla-

gen haalden die ik hem liet schrijven. 'Eh, Brian,' zei ik net op het moment dat mevrouw Daniels voorbijliep. Ik pakte de reageerbuis uit de houder, schudde ermee en hield hem tegen het licht, zoals ik wetenschappers (of beter, acteurs die wetenschappers speelden) had zien doen in reclamespotjes. Brian en Marilee bogen zich met een belangstellende frons naar mijn reageerbuis toe. Blijkbaar kwamen we overtuigend over, want mevrouw Daniels liep verder om de brandlucht die plotseling uit de andere kant van het lokaal kwam opzetten te onderzoeken. Zodra ze buiten gehoorsafstand was, zette ik de reageerbuis terug in de houder en ging Marilee verder met sms'en.

'Is het wel verstandig om een feestje te geven nu je vorige feest tot zoveel problemen heeft geleid?'

'Ja, dankzij jou,' benadrukte Brian.

'Nee, dankzij mijn kraker,' wierp ik tegen. 'Ik wil graag op je feestje komen, maar ik wil niet dat je daardoor nog meer problemen krijgt.'

'Dank je,' zei hij, 'maar ik heb alles onder controle. Ik heb onze huishoudster gezegd dat er een huiswerkgroepje komt, dus ze neemt de avond vrij. En het is maar een klein feestje, dus verder niemand uitnodigen, oké?'

'Maar Ruth mag toch wel mee?'

'Die hobbelt toch altijd al achter je aan?'

'Gaaf,' zei ik. 'We komen.' Het lag op het puntje van mijn tong te vragen of Justin ook kwam. Wat eigenlijk wel voor de hand lag, want hij kwam op bijna alle feestjes die Brian gaf. Maar ik vroeg het niet, omdat ik ineens niet meer zeker wist of ik dat wel zo leuk vond.

Een seconde later kwamen mijn hersens weer in actie. Natúúrlijk wilde ik dat Justin kwam. Maar hoe ik ook mijn best deed me zijn gezicht voor te stellen, ik kreeg het beeld niet scherp. Op een of andere manier werd zijn gezicht steeds langer en zijn haar alsmaar donkerder.

Ik stuurde Ruth gauw een sms'je over Brians feest, en ging toen naar de geschiedenisles om 's werelds meest waardeloze werkstuk in te leveren.

De rest van de ochtend gebeurde er weinig, behalve dat mevrouw Patterson, mijn lerares Latijn, vond dat ik mijn opstel moest herschrijven. Kennelijk kon ze mijn theorie dat het Trojaanse paard de eerste poets in de Westerse beschaving was en de weg had vrijgemaakt voor programma's als *Jackass* en *Punk'd* niet waarderen. Hetzelfde gold waarschijnlijk voor mijn bewering dat QED in feite de eerste drieletterafkorting was.

Nadat we de imperatief hadden behandeld en ze ons had berispt om onze 'frivole' opstelonderwerpen, mochten we een kwartier voor het einde van de les vertrekken. Het voordeel was dat de kantine net open was en de lekkerste chipssmaken nog niet waren uitverkocht. Na de lunch begaf ik me naar mijn kluisje om mijn laptop te halen.

Ik stelde mijn cijfercode in en opende mijn kluis, waarin ik de gebruikelijke rommelige stapels schriften en gymkleren aantrof.

Maar mijn laptop was weg.

16

Lied: *Great lengths* – The Lucksmiths
Quote: 'Alle menselijke situaties hebben hun ongemak-
ken.' – Benjamin Franklin

Ik staarde verbijsterd in mijn kluisje.

Ik snapte er niks van. Ik keek nog eens goed om me ervan
te verzekeren dat het echt mijn kluisje was. Ja dus.

Als het mijn kluisje niet was, hoe had ik het slot dan open
kunnen krijgen?

O, mijn moeder zou me vermóórden.

Maar hoe kon mijn laptop gestolen zijn? Mijn kluisje had
op slot gezeten – ik herinnerde me dat ik hem op slot had gedaan. En met het slot was zo te zien niet geknoeid.

'O, god,' mompelde ik. Mijn hart bonsde in mijn keel. Ik
sloot mijn kluisdeurtje en leunde er verslagen tegenaan.

'Mad?' Schuyler kwam opgewonden op me af gestormd.
Kennelijk was mijn stemming van mijn gezicht te lezen, want
haar opwinding sloeg om in bezorgdheid. 'Is er iets?'

'Mijn laptop,' zei ik, met een brok in mijn keel, 'zit niet meer
in mijn kluisje. Ik denk dat hij gestolen is.'

Schuylers mond zakte open. 'Weet je het zeker?' zei ze. 'Ik bedoel, heb je ook onder je gymkleren enzo gekeken?'

Ik draaide mijn cijfercode in de juiste combinatie, opende het kluisje en keek opnieuw onder mijn gymkleren en schriften. Mijn laptop was op wonderbaarlijke wijze verdwenen.

'Je moet meteen naar de secretaresse gaan,' zei Schuyler, nadat we een tijdje wezenloos in mijn kluisje hadden gestaard. 'Zij weet vast wat je moet doen.'

Ik schudde mijn hoofd. 'Dat betwijfel ik.' Ik probeerde niet in paniek te raken. Mijn laptop was gestolen. Wat moest ik doen? De Q mocht het dan niet doen, het was wel míjn laptop, en wie wilde die nu hebben? Ik bedoel, hij is róze.

'Ga nou naar de secretaresse,' zei Schuyler. 'Misschien hangen hier verborgen camera's en is alles op video opgenomen! Net zoals in Las Vegas!'

'Oké,' zei ik. Ik wist niets anders te bedenken. 'Laat ik dat dan maar doen.'

'Ik zal het tegen Lisa en Ruth zeggen. Dan zien we je daar, oké?' zei Schuyler.

'Oké,' zei ik weer, een beetje duizelig. Ik besefte ineens dat de bel nog steeds niet was gegaan terwijl Schuyler er al was. 'Heb jij geen les?' vroeg ik.

'Ik heb een vrij uur,' zei ze. Ze wees de gang in. 'Ga nu gauw naar de secretaresse! Het schijnt dat de eerste uren na de misdaad het belangrijkst zijn!'

Hoewel ik het idee had Schuyler te veel *CSI* had gekeken, volgde ik haar raad op en liep naar het kantoor van de secretaresse. Maar behalve Glen Turtell was er niemand.

'Hoi, Mad,' zei Turtell, terwijl de bel ging.

'Hoi, Glen,' zei ik, en ging naast hem op de bank zitten. Ik zorgde ervoor dat ik niet op zijn naam ging zitten, of op het kleine portret van hemzelf dat hij er sinds de laatste keer dat ik in de kamer van de secretaresse was aan had toegevoegd. Terwijl ik de tekening bewonderde, viel mijn oog op de zwarte rugzak tussen zijn voeten. Hij stond open, en ik zag dat hij gevuld was met cd's van Metallica.

'Heb je je cd's weer terug?' vroeg ik. 'Ik dacht dat je zei dat Shauna ze had gestolen.'

Voordat hij antwoord kon geven, kwam Stephanie binnen. Ze had een sandwich in haar hand en slaakte een zucht toen ze Turtell zag zitten. Mij keek ze met opgetrokken wenkbrauwen aan. 'Mejuffrouw MacDonald,' zei ze, 'dat is al de tweede keer deze week. Waar hebben we de eer aan te danken?'

'Mijn laptop is uit mijn kluisje gestolen,' zei ik. Vanuit mijn ooghoeken zag ik Turtell opkijken.

'Weet je het zeker?' vroeg Stephanie.

'Ja,' zei ik. Ik vroeg me af hoe je je daarin zou kunnen vergissen.

Ze keek naar de deur van meneer Trents kamer. 'Meneer Trent is in gesprek met... een leerling, maar ik zal het aan hem doorgeven. Dit is al de derde diefstal deze week.' Ze ging de rectorskamer binnen en liet me met een gefrustreerd kijkende Turtell achter.

'Glen?' zei ik. Hij knakte met zijn knokkels. 'Is er iets?'

'Ja,' zei hij. 'Mad, die kluisjesdiefstal...'

Voordat hij zijn zin kon afmaken, kwamen Schuyler en Lisa druk pratend binnen.

'Weet je al wie het gedaan heeft? Hebben ze het op videoband?' vroeg Schuyler aan mij. Toen ze Turtell zag zitten, zette ze grote ogen op. 'O, mijn god, was het Glen?' fluisterde ze allesbehalve zacht.

'Ik hoor je wel, hoor,' zei Turtell.

'*J'accuse!*' zei Lisa, met een gemanicureerde nagel op hem wijzend. 'Waarom heb je het gedaan?'

'Ik heb Madisons laptop niet gestolen,' zei Turtell op ernstige, nadrukkelijke toon, die Lisa het zwijgen leek op te leggen. 'En al die andere spullen ook niet!' zei hij harder en in de richting van meneer Trents kamer.

'Ongelofelijk,' zei Lisa terwijl ze naast me kwam zitten. 'Ik bedoel, is er dan niets meer veilig op school? We moeten de *gendarmes* inschakelen!'

Turtell staarde haar aan. 'De wie?'

Op dat moment kwamen meneer Trent en Stephanie de rectorskamer uit, gevolgd door Dell.

'Ik heb even iets anders te doen,' zei meneer Trent. 'We komen hier spoedig op terug.'

'Goed,' zei Dell. Toen hij de kamer uit liep, wisselde hij een bedachtzame blik uit met Turtell waar ik weinig uit kon opmaken.

Meneer Trent, die er nog grimmiger uitzag dan anders, wendde zich tot mij. 'Madison, kom je een diefstal aangeven?' vroeg hij.

'Ja,' zei ik, en ik vertelde hem dat ik mijn kluisje leeg had aangetroffen.

'Maar hoe kan iemand in jouw kluisje komen?' vroeg hij. 'Kent iemand van je vrienden je cijfercode?' Zijn blik gleed naar Schuyler, die wegdook achter Lisa.

'Nee,' zei ik. 'Niemand.' Ineens herinnerde ik me Liz. Ze kende mijn code. Maar zij had er toch zeker niets mee te maken? Of ze moest wel héél kwaad op me zijn vanwege de kraakaffaire. Ik besloot niets tegen meneer Trent te zeggen en later zelf met Liz te praten. Als zij er niets mee te maken had, kon ik haar beter niet in de problemen brengen.

Ik keek naar mijn vriendinnen. Ineens besefte ik dat Ruth niet met Schuyler en Lisa was meegekomen. Maar ik had wel iets anders aan mijn hoofd.

'Is er met je cijferslot geknoeid?' vroeg meneer Trent.

'Nee,' zei ik. 'Hij lijkt gewoon geopend te zijn.'

'Maar hoe kan iemand achter je code gekomen zijn?'

'Precies!' zei Lisa.

Meneer Trent keek haar fronsend aan. 'Alle codes zijn opgeslagen in een beveiligde database,' zei hij afgemeten. 'Daar kan niemand bij.'

Vanuit mijn ooghoeken zag ik Turtell opkijken en weer met zijn knokkels knakken.

'Heeft u geen videobeveiligingssysteem?' vroeg Schuyler hoopvol. 'U weet wel, zoals in Las Vegas?' Ze keek opgewonden om zich heen, alsof er achter Stephanies bureau elk moment een deur naar een verborgencameracabine kon opengaan.

'Nee,' zei meneer Trent kortaf. 'Dat hebben we niet. Madison, kun je me eerst even je kluisje laten zien?'

'Natuurlijk,' zei ik. Ik liep de gang op, gevolgd door meneer Trent, Stephanie, Lisa, Schuyler (mopperend dat een betere beveiliging zou voorkomen dat er laptops werden gestolen) en Turtell, die kennelijk had besloten mee te gaan.

Ik stelde mijn cijfercode in, opende het deurtje... en zag mijn laptop staan, precies zoals ik hem had achtergelaten.

Ik slaakte een verbaasde kreet.

Meneer Trent keek me woedend aan. 'Is dit een grap, jongedame?' vroeg hij.

Stephanie begon een verhaal af te steken over het feit dat de term 'jongedame' volgens de door de schoolcommissie goedgekeurde, sekseneutrale taalgedragscode niet langer toelaatbaar was, waarop meneer Trent enkele woorden uitkraamde die onge-twijfeld óók op de lijst met ontoelaatbare termen voorkwamen.

'Nee, nee,' zei ik, starend naar mijn laptop, die roze en on-schuldig terugstaarde alsof hij nooit was weggeweest. 'Hij stond er net niet, dat zweer ik.'

'Klopt!' viel Schuyler – God zegene haar – me bij. 'Ik was erbij. Ik bedoel, ik heb gezien dat hij weg was. En ik heb ook gezien dat Madison haar laptop in de kluis heeft gedaan.'

'Ik ook,' vulde Lisa aan. 'We hebben het allebei gezien.' Ken-nelijk durfde ze in aanwezigheid van de rector en de secreta-resse geen Frans te spreken.

Meneer Trent nam ons fronsend op. 'Ik weet niet wat je vriendinnen en jij in je schild voeren, Madison, maar nu je lap-top weer terecht is, lijkt me dit een zaak voor het bestuur.' Hij wendde zich tot Turtell, die net probeerde weg te glippen. 'En jij, jongeman, gaat met mij mee.'

Terwijl ze de gang uit liepen, hoorden we Stephanie weer van wal steken over het sekseneutrale taalbeleid, waarop me-neer Trent snauwde: 'Ik weet ervan!'

Turtell draaide zich om en salueerde naar ons, waarna hij om de hoek van de gang verdween.

Ik staarde van mijn laptop naar mijn vriendinnen. 'Dit is vreemd. Ik bedoel, dat is toch zo?' zei ik. 'Wie steelt er nu iets en legt het dan weer terug?'

Schuyler haalde haar schouders op. 'Een dief met fatsoen?'

Lisa keek in mijn kluisje. 'Weet je zeker dat hij er zonet niet was? Misschien lag hij onder je gymkleren.'

Kennelijk dacht iedereen dat ik een behoorlijk grote maat gymkleding had.

'Nee,' zei ik. 'Hij was er echt niet. Ik heb overal onder geke-ken.' Ik pakte mijn laptop uit mijn kluisje en bekeek hem eens goed. Er leek niets mis mee en de harde schijf en de batterij zaten er nog in. Ik stopte hem in mijn canvas tas en controleerde of er nog meer waardevolle spullen in mijn kluis lagen.

Wie de dief ook was – fatsoenlijk of niet – ik wilde niet dat hij nog meer pikte. Maar er lag niets van waarde in mijn kluisje. Alleen gymkleren, en ik zou het niet erg vinden als die werden gepikt. Sterker nog, als ze werden gestolen, had ik een smoes om niet naar de gymles te hoeven.

'Hé, jongens!' groette Ruth buiten adem terwijl ze zich bij ons voegde. Haar anders zo steile haar zat in de war. 'Sorry dat ik zo laat ben. Hebben jullie het profiel al bekeken?'

Ik was al bijna vergeten dat ik mijn laptop mee naar school had genomen om mijn vriendinnen Nates profiel te laten zien. 'Nee,' zei ik, 'nog niet...'

'Waar zat je?' vroeg Lisa met een fronsende blik op Ruth. 'We hadden hier *une situation grave*.'

Ruth fatsoeneerde haar haren en keek ons bezorgd aan. 'Wat is er aan de hand? Ik had mijn natuurkundetoets,' zei ze met een kreun. 'Ik weet niet hoe ik het heb gemaakt. Ik ben bang dat ik te veel tijd aan de proeven heb besteed, want ik kreeg het niet op tijd af. Na afloop heb ik om een kwartier extra tijd moeten smeken. Maar ik twijfel nog steeds of ik een voldoende heb.'

'Je hebt het vast heel goed gemaakt,' zei Schuyler geruststellend.

Ruth beet op haar lip. 'Ik weet het niet. Nou ja, ik hoor het vanzelf wel. Maar goed, Mad, wat is er aan de hand?'

Lisa en Shy vertelden het hele verhaal terwijl Ruth rustig luisterde zonder hen te onderbreken. 'Maar waarom zou de dief de laptop terugleggen?' vroeg ze toen ze klaar waren.

'Precies!' zei Lisa.

Schuyler fronste. 'Kan het Turtell zijn geweest?' vroeg ze na een korte stilte. 'Ik bedoel, ik weet wel dat jullie vrienden zijn, Mad, maar hij moet wel érg vaak bij de rector komen. Én nablijven. Zei Stephanie trouwens niet dat er al vaker iets uit de kluisjes was gestolen?'

Ik schudde mijn hoofd. 'Turtell zou nooit iets van me stelen.' Ruth en Lisa trokken hun wenkbrauwen op. 'Nee, écht niet,' hield ik vol. 'Ik vertrouw Turtell. En als hij om een of andere reden toch iets van me zou hebben gestolen, dan zou hij het zeker niet terugleggen.'

De einde-lunch-bel ging, en ik besefte dat we geen van allen iets hadden gegeten. 'Jongens, het spijt me,' zei ik. 'We hebben niet kunnen lunchen. Mijn schuld.'

Lisa wuifde mijn opmerking ongeduldig weg. '*Bof*,' zei ze. 'We komer er wel achter wie het heeft gedaan. '*Je te promets!*'

De bel ging voor de tweede keer, en Schuyler en Lisa vertrokken naar de les en beloofden 'het tot de bodem uit te zoeken'. Maar ik wist niet tot de bodem waarvan.

Mijn verwarring moest op mijn gezicht te lezen zijn, want Ruth legde haar hand op mijn arm en zei: 'Gaat 't, Mad?'

Ik wreef in mijn ogen. 'Ik weet 't niet,' zei ik. Mijn hoofd tolde. Er was iets gebeurd, maar ik begreep alleen nog niet wat. Of waarom.

De laatste bel ging. Ruth beet op haar lip. 'Ik zou wel bij je willen blijven,' zei ze. 'Maar ik heb Spaans, en...'

'Nee, ga maar,' zei ik. '*Vayas.*'

'Sms me maar als er iets is.'

'Doe ik.'

Ruth gaf me een snelle knuffel en haastte zich naar de les.

Ik had een uur vrij. Normaal zou ik een gat in de lucht springen, maar nu was ik liever naar de les gegaan, ook al was het Engels, omdat ik mijn gedachten dan even op iets anders kon richten.

Terwijl de gang leeg raakte, liep ik peinzend naar de kei om te lunchen, waar ik niet veel later door Connor uit mijn mijmeringen (of liever uit een dagdroom waarin ik op het schoolfeest langzaam danste met iemand die verdacht veel op Nate leek) werd opgeschrikt.

'Madison?' riep hij buiten adem terwijl hij naar me opkeek.

'Hé, Connor,' riep ik vanaf de kei naar beneden. 'Kom erop.' Ik opende mijn laptop om te zien of ik al mijn documenten nog had en of er nergens mee was geknoeid. Ik had geen zin in een noodbezoek aan Dell.

Connor hees zich op de platte bovenkant van de kei. Ik was blij dat ik met hem over zijn afspraakje van de avond kon praten, zodat ik kon laten doorschemeren dat hij met mij te doen kreeg als hij Schuylers hart brak. 'Wat is er?' vroeg ik toen hij eenmaal naast me zat.

'Slecht nieuws,' zei hij ernstig.

Mijn alarmbellen begonnen meteen te rinkelen. 'Je wilt je afspraakje met Schuyler toch niet afzeggen?' zei ik. 'Want ze heeft er ontzettend veel zin in en...'

'Nee,' zei hij. 'Dat is het niet. Het gaat over je profiel. Je bent weer gekraakt, Mad.'

17

Ik zat op mijn bed met mijn laptop op schoot en staarde naar mijn Friendverse-profiel.

Toen ik van Connor hoorde dat mijn profiel opnieuw was gekraakt, had ik me bijna achterover van de kei geworpen.

Nadat ik eindelijk uit was gevloekt – ik zie de geschrokken gezichten van de onderbouwers die om ons heen zaten te lunchen nog voor me – zijn we samen naar de bibliotheek gegaan. Daar had Connor zijn vrije studie-uur doorgebracht met zijn werk als Internet Liaison voor meneer Trent. Toen hij mijn profiel zag, is hij me meteen gaan zoeken.

'Ik dacht dat jij vanaf de schoolcomputers geen toegang tot Friendverse had,' zei ik toen Connor inlogde.

Hij schudde zijn hoofd. 'Wie heeft dat gezegd?' zei hij terwijl hij mijn profiel opriep.

Ik probeerde het me te herinneren, maar het wilde me niet te binnen schieten. We keken samen naar mijn profiel.

Er was 's ochtends nog ingelogd, en dat op een tijd dat ik zeker niet online was. De schade was geringer dan de vorige keer: geen spelfouten, uitgelekte geheimen of commentaren met oneerbare voorstellen aan de vriendjes van mijn beste vriendinnen. Maar op een of andere manier was het bijna net zo erg.

Mijn profiel was blanco. Alles, van mijn basisinfo tot aan mijn hobby's, blogberichten en muziek, was gewist. Het enige waaraan te zien was dat de kraker op mijn site was geweest, was mijn gewijzigde schermnaam: 'Madison MacDonald is klote'. Ik had het gevoel dat ik een klap in mijn gezicht kreeg.

Ik staarde verbijsterd naar het scherm. 'Hoe kan dat nou?' zei ik. 'Ik bedoel, hoe kan dit nou wéér gebeurd zijn?'

'Eh,' zei Connor terwijl hij een blocnote en een pen pakte – kennelijk nam hij zijn verantwoordelijkheid als Internet Liaison behoorlijk serieus – 'was het de laatste tijd misschien ongebruikelijk druk op je profiel? Werd er bijvoorbeeld vaker dan anders naar je profiel gekeken? Kreeg je vreemde vriendenverzoeken?'

'Nee,' zei ik nadenkend, maar op hetzelfde moment kreeg ik een knoop in mijn maag. 'Maar vanmorgen is mijn laptop uit mijn kluis gestolen en later weer teruggelegd,' fluisterde ik. Ik schudde mijn hoofd. Had iemand ingebroken in mijn kluisje om mijn profiel opnieuw te kraken? Zou dat echt waar zijn? 'Zou de kraker mijn laptop hebben gestolen om me opnieuw te kunnen kraken?'

Dit maakte het nog persoonlijker. De kraker was kennelijk nog niet klaar met me en wilde nog meer ellende aanrichten. Maar wat ik akeligst vond, was dat hij de laptop had teruggelegd. Het ging hem om mij en het was blijkbaar niet zijn bedoeling mijn computer te verkopen op de zwarte markt of iets dergelijks.

'Ik denk het wel,' zei Connor grimmig. 'Het ziet er inderdaad naar uit dat iemand je profiel opnieuw heeft willen kraken. Als hij je wachtwoord niet kende, had hij je laptop nodig om te kunnen inloggen.'

Ik trok mijn laptop dichter naar me toe. 'Maar hoe dan?'

'Je wachtwoord staat waarschijnlijk ergens opgeslagen in je computer,' zei hij. 'Frank Dell kan je daar wel meer over vertellen, denk ik. Maar stel dat de kraker niet bij die gegevens kon, dan zijn er ook nog zogenaamde toetsaanslagprogramma's die registreren wat je kort daarvoor hebt getypt.'

Het laatste wat ik had getypt was mijn nieuwe Friendversewachtwoord, net voordat ik naar bed ging. Kreunend staarde ik naar mijn lege profiel.

'Je moet je wachtwoord weer wijzigen,' zei Connor.

Ik knikte. Connor logde uit en keek de andere kant op terwijl ik opnieuw inlogde en mijn wachtwoord wijzigde in 'omghetistochnietwaarhè??'. Ik had geen zin om alle gegevens weer opnieuw in te vullen, maar veranderde mijn schermnaam simpelweg in 'Madison'. Toen logde ik uit en keek Connor met een wezenloze blik aan.

Hij schudde grinnikend zijn hoofd. 'Er is iemand goed pissig op je,' zei hij.

'Ja,' beaamde ik. Maar wie? Connor was het niet, en ook Kittson, Travis en Sarah vielen af. Wie kon er zo kwaad op me zijn dat hij me dit wilde aandoen? En dat niet één, maar twéé keer.

'Maar goed dat ik het snel heb ontdekt,' zei hij, op een toon van iemand die vastbesloten is de zaak van de positieve kant te bekijken. Schuyler en Connor hadden veel met elkaar gemeen, en in plaats van te gaan zitten kniezen, probeerde ik me in hun geluk te verplaatsen.

'Wat gaan jullie vanavond doen?' vroeg ik terwijl we terug naar het studiecentrum liepen. Ik dwong mezelf tot een glimlach.

Connor vertelde me over hun plannen: uit eten, naar de film, koffiedrinken. Ik verzekerde hem dat Schuyler het geweldig zou vinden. Ik vertelde hem ook dat gerbera's haar favoriete bloemen waren, voor het geval hij iets met die informatie wilde doen.

Daarna liep ik peinzend naar mijn laatste les van die dag. Toen ik me na de les bij mijn vriendinnen voegde, besloot ik hen niet te vertellen dat ik opnieuw was gekraakt. En mochten ze mijn Friendverse zien voordat ik mijn pagina opnieuw had ingevuld, dan zou ik zeggen dat ik over een nieuwe opmaak nadacht.

Ruth voelde echter aan dat er iets aan de hand was. Ze hield me nauwlettend in de gaten en vroeg steeds of alles goed met me ging. Ik zei van wel. Ik besloot later op de dag met haar te praten als we alleen waren, want Schuyler en Lisa waren al in vrijdagmiddagstemming en ik wilde hun plezier niet bederven. Lisa had een afspraakje met Dave, Schuyler met Connor. Ruth moest babysitten, en terwijl iedereen me over zijn plannen vertelde, besefte ik dat ik de enige was die niets te doen had.

Natuurlijk. Het was mijn eerste weekend zonder Justin na de vakantie. Ik vroeg me af wat Kittson en hij vanavond zouden doen. Vreemd genoeg deed het me weinig als ik aan hen dacht.

Wat me wél dwarszat, was dat ik een loser zonder plannen of afspraakjes was en dat ik de avond in mijn eentje zou moeten doorbrengen. Zelfs Travis had een afspraakje. Vanochtend voor het naar school gaan, had hij me verteld dat hij met Olivia en een stuk of twaalf vrienden naar de film zou gaan. Dat zag hij kennelijk als zijn eerste echte afspraakje.

Mijn ouders hadden me uitgenodigd mee te gaan naar hun Scrabbleclubje, maar zo laag wilde ik niet zinken, en dus had ik het aanbod afgeslagen.

Maar wie zat hier nu dus alleen op haar bed, met als enige gezelschap haar laptop?

Ik wilde net wat eten bestellen en kijken of er iets leuks op de televisie was, toen de huistelefoon ging.

Ik pakte het toestel en overwoog het antwoordapparaat te laten opnemen, toen ik ELLIS op het schermpje zag staan. Mijn hart sloeg over.

'Hallo?'

'Madison?'

Daar had je die fantastische, beetje hese stem weer. Ik zei tegen mezelf dat ik moest blijven ademen en dat ik best in staat was normale zinnen te vormen.

'Nate? Ik bedoel, hoi, ja, met Madison. Dus. Waarom bel je?' Hoezo 'normale zinnen'?

Ik hoorde de glimlach in zijn stem toen hij vroeg: 'Al plannen voor vanavond?'

'Dus dit is een drive-in bioscoop,' zei ik. Ik keek om me heen naar de rijen auto's die voor een groot scherm op het veld geparkeerd stonden. We hadden zojuist kaartjes gekocht (althans, Nate had per se de kaartjes willen betalen, dus ik had erop gestaan voor de popcorn en frisdrank te zorgen) en de speaker opgehaald.

Ik was nog steeds een beetje beduusd. Nate had me niet willen zeggen waar we naartoe gingen, alleen dat ik over twintig minuten klaar moest staan.

Ik was zo opgewonden dat ik Lisa en Ruth (Schuylers avondje met Connor wilde ik niet verstoren) meteen een sms'je had gestuurd. Lisa was verbijsterd dat ik op zo'n last-minute-afspraakje in ging, maar had zich eroverheen gezet en me aangeraden mijn minispijkerrokje met zwarte V-halstrui aan te doen. Toen had Dave haar mobiel afgepakt en me gewaarschuwd (met een knipoog) dat ik in die sexy outfit niets moest doen wat hij ook niet zou doen. Vervolgens hoorde ik Lisa tegen Dave zeggen dat zij *une petite conversation* moesten hebben en zei ze tegen mij dat ik haar meteen moest sms'en als er ook maar íéts gebeurde. En ook als er niets gebeurde.

Omdat ik niets meer van Ruth had gehoord, ging ik ervan uit dat ze aan het babysitten was en belangrijkere dingen aan haar hoofd had – zoals zorgen dat de kinderen in leven bleven.

Ik legde mijn mobiel bovenop in mijn tas die aan mijn voeten stond, zodat ik kon zien wanneer er een sms'je binnenkwam.

'Een drive-in, ja,' beaamde Nate. Hij nam een slok van zijn cola en trok toen heel jaloersmakend één wenkbrauw naar me op. 'Ik dacht dat je op Friendverse zei dat je dol op drive-ins was.'

Ik glimlachte. 'Heb je weer naar mijn profiel gekeken?'

'Ach, ja,' zei hij terwijl hij de beker in de bekerhouder zette. 'Zo nu en dan kijk ik even.'

'Ik hou van het idéé van drive-ins,' verklaarde ik. 'Het feit dat ik er nog nooit ben geweest, doet niet ter zake.'

'Oké,' zei hij met een glimlach. 'Maar goed, welkom in de enige drive-in van Zuid-Connecticut.'

We waren in drive-in New Canaan, en zouden in Nates verrassend leuk opgepimpte rode pick-up naar *Charade* en *Wait until dark* met Audrey Hepburn kijken. De speaker hing aan het raampje aan de bestuurderskant. Wat ik ook erg leuk vond was dat de auto een bank voorin had, in plaats van stoelen. Niet dat we gingen zoenen ofzo, maar mocht het er een keer van komen, dan was een bank toch prettiger.

Bij de gedachte dat Nate en ik zouden zoenen, brak het zweet me uit, en ik nam snel een flinke slok van mijn cola light.

'Dus hier heb jij al die obscure oude films gezien?' zei ik toen ik weer was afgekoeld.

'Inderdaad,' zei hij. '*Charade* is een van mijn lievelingsfilms. *Wait until dark* heb ik nog nooit gezien.'

'Ik wel,' zei ik. 'Een paar keer zelfs.'

Zijn beide – superleuke – wenkbrauwen gingen omhoog. 'O ja?'

Ik vond het leuk dat ik hem verraste. 'Ja,' zei ik. Ik vertelde dat we het toneelstuk vorig jaar hadden uitgevoerd en dat ik de film een paar keer had gezien om me in mijn rol te kunnen inleven. 'Herinner me eraan dat ik je het beruchte giftige-jam-verhaal vertel.'

'Daar hou ik je aan,' zei hij.

De schemering viel. De eerste sterren werden zichtbaar boven het veld, en ik hoorde dat de projector werd opgestart. Het voorprogramma begon. Ik schopte mijn teenslippers uit en trok mijn benen onder me op. Tussen Nate en mij zou nog makkelijk iemand kunnen zitten, maar toch was ik me hyper-bewust van zijn nabijheid.

Toen Audrey Hepburn haar Parijse appartement leeg aantrof, schoof Nate iets dichter naar me toe.

Toen ze Cary Grant voor de tweede keer ontmoette, pakte ik mijn cola light uit de bekerhouder en schoof nauwelijks merkbaar naar hem toe.

Toen Audrey en James Coburn elkaar bij de telefooncel tegen het lijf liepen, legde Nate zijn arm over de leuning van de bank, net boven mijn schouders.

Toen Audrey Hepburn ontdekte wie Cary Grant écht was en ze hem al namen noemend begon te zoenen, schoof ik zo dicht naar Nate toe dat er alleen nog maar een piepklein mensje tussen ons in zou kunnen zitten.

Tijdens de twintig minuten durende pauze tussen de films haalde ik voor ons popcorn en verstuurde ik het volgende sms'je:

Verzonden
Aan: Lisa Feldman, Ruth Miller
Datum: 11/4 22.05u
omg we zijn in de drive-in en zijn arm lag al bijna om mijn schouder. Let wel: pick-up met voorbank. Wens me geluk!!!

Ik kreeg meteen een sms'je terug van Lisa.

Ontvangen
Van: Lisa Feldman
Datum: 11/4 22.07u
Hup Mad! Tres bien! Justin wie?

Ik glimlachte en zette mijn mobiel op de trilstand. Eerlijk gezegd had ik de hele avond niet aan Justin gedacht, behalve dat ik blij was weer eens een film te zien waarin niet constant van alles explodeerde en mensen zonder enige reden naakt rondliepen.

Tegen de tijd dat de tweede film begon, was het bijna donker en verschenen de eerste vuurvliegjes van het seizoen. Toen ik terugkwam bij de auto, stond Nate naast de pick-up foto's van het donkere scherm te maken.

'Hoi,' zei ik.

'Hoi,' zei hij met zijn aanstekelijke glimlach. 'Dat is een flinke berg popcorn,' ging hij verder, wijzend op de bak popcorn in mijn handen.

'Een film zonder popcorn is geen film.' Ik knikte naar de camera. 'Geef je weer toe aan je zwak voor mooie dingen?'

'Helemaal.' Hij sloot de lens en stak de camera in zijn zak. Toen we weer in de auto zaten, viel het me op dat Nate bijna in het midden van de bank was gaan zitten. Ik glimlachte, zette de popcorn tussen ons in en schoof naast hem.

Tegen de tijd dat Audrey Hepburn de moordenaar uitschakelde, had hij zijn arm stevig om me heen geslagen en rustte mijn hoofd op zijn schouder.

'Dus,' zei ik terwijl we door het centrum van Stanwich naar Nates favoriete koffiewinkel reden, 'ik speelde de Audrey Hepburn-rol. En omdat het personage blind is, moest elk rekwisiet nauwkeurig op de juiste plek worden gelegd. Inclusief het mes waarmee ze de moordenaar aan het eind van het stuk doodsteekt.'

'Ik voel al waar dit heen gaat.'

Omdat we onze veiligheidsgordels om hadden (balen!), konden we niet naar elkaar toe schuiven. Maar ik had mijn benen naar zijn kant van de auto gedraaid en kon niet ontkennen dat er een paar o-mijn-god-gaan-we-vanavond-zoenen?-vlinders in mijn buik rondfladderden, wat tegelijkertijd heerlijk en doodeng was.

'Oké,' zei ik. Ik moest me bedwingen mijn hand niet uit te steken om aan zijn haar te voelen. 'Rhiannon King ging over de rekwisieten, maar op de avond van de voorstelling stond ze met haar vriendin te vrijen in de lichtsluis en vergat ze de spullen klaar te leggen op het toneel.'

'Jezus,' zei Nate. Hij parkeerde de auto op een lege plek voor Stanwich Sandwich & Coffee en zette de motor uit.

'Zeg dat wel. Dus ik sta daar mijn best te doen blind te zijn en Mark Rothman, die de moordenaar speelde, te vermoorden. Maar er lag dus geen mes. Ik wist bij god niet wat ik moest doen.'

'En toen?'

'Ik deed wat iedereen in die situatie zou hebben gedaan. Ik kroop naar de koelkast, haalde er een pot frambozenjam uit en begon handenvol jam naar Mark te gooien terwijl ik riep: "Giftige jam! Giftige jam!"'

Nate staarde me aan. 'En toen?'

'Nou ja, het duurde even, want Mark kende de symptomen van een jamvergiftiging niet, totdat hij uiteindelijk begon te zwalken en dood neerviel. Toen doofden de lichten en was het stuk afgelopen.'

Nate lachte en bleef me aanstaren. 'Weet je,' zei hij na een korte stilte, 'de eerste keer dat ik je op de boot zag, vond ik je meteen bijzonder. Maar je blijft me verbazen.'

Mijn hart sloeg over. 'O ja?' zei ik voorzichtig omdat ik bang was dat mijn stem zou overslaan.

'Ja,' zei hij, me indringend aankijkend. Ik was ervan overtuigd dat hij me ging kussen, maar in plaats daarvan streek hij een plukje haar achter mijn oor en legde zijn hand even op mijn haar. 'Koffie?' vroeg hij terwijl hij zijn hand terugtrok.

'Koffie,' zei ik, in een poging niet al te teleurgesteld te klinken.

Toen we de koffiewinkel binnen gingen en ik ons spiegelbeeld in de winkelruit zag, viel het me op hoe goed we er samen uitzagen, hoe... hoe goed we bij elkaar pasten, op een vreemde manier. Nadat ik de menukaart had bestudeerd en voor mijn favoriete latte had gekozen, keek ik de koffiewinkel rond. Hij was veel cooler en hipper dan Stubbs, met achterin een rij besloten zitjes. De zaak zat vol met stelletjes en groepen jongeren en...'

Ik keek nog eens goed. In een zitje verderop in de hoek zat Ruth.

Ik was zo verbijsterd dat ik stamelend bestelde bij de verveeld kijkende barista. Was Ruth al zo vroeg klaar met babysitten? En wat deed ze in Stanwich?

Ik keek weer naar haar en zag dat er een schoudertas en een zwarte trui op het bankje tegenover haar lagen. Kennelijk was ze niet alleen. Maar met wie was ze dan?

En sinds wanneer hadden wij geheimen voor elkaar?

Ik haalde mijn mobiel uit mijn tas en drukte op sneltoets #2 – #1 was voicemail – voor Ruth. Ik zat gedeeltelijk achter een met affiches beplakte pilaar, maar wilde opstaan en haar verrassen zodra ze opnam. Ik wilde weten wat er aan de hand was.

Ik zag Ruth haar telefoon uit haar tas pakken en op het schermpje kijken.

Toen drukte ze op een toets om de telefoon uit te zetten en deed hem terug in haar tas.

'Is er iets?' vroeg Nate voor de derde keer.

'Nee, hoor,' zei ik. Ik moest mijn best doen me te concentreren op wat hij zei. 'Nee. Wat... Ik bedoel, wat zei je?'

Nate zuchtte en kreeg een ongeduldige blik in zijn ogen. Ik kon hem geen ongelijk geven. Nadat ik had voorgesteld met onze koffie ergens anders heen te gaan, had hij me naar zijn favoriete plek in Stanwich gebracht: een stenen muur die uitkeek over het strand en de baai van Long Island Sound. Omdat het fris was geworden, had ik mijn trui aangetrokken.

Voor het eerst in mijn leven begreep ik de aantrekkings-kracht van een stenen muur. We zaten met onze beker koffie vrij dicht tegen elkaar aan en keken uit over het water dat zachtjes over het strand rolde.

Het was superromantisch. En toch kon ik alleen maar aan mijn beste vriendin en haar vreemde gedrag denken.

'O, zo belangrijk was het niet,' zei hij. Hij liet de koffie in zijn beker ronddraaien. 'Misschien kan ik je beter naar huis brengen.'

'Oké,' mompelde ik, boos op mezelf. Romantische omge-ving! Leuke jongen! Maar ik bleef het beeld van Ruth die mijn naam op het schermpje van haar mobiel ziet en niet opneemt voor me zien.

Nate reed me in stilte naar huis, en hoe koortsachtiger ik naar woorden zocht, hoe moeilijker het werd iets te zeggen.

Hij reed onze oprit op maar zette de motor niet af. Het was duidelijk dat er vanavond niet zou worden gezoend.

Shit.

'Nou, eh, bedankt,' zei ik nadat we een tijdje zwijgend voor ons uit hadden gestaard. Alleen de motor pruttelde.

'Graag gedaan,' zei hij. 'Het was gezellig.' Het onuitgespro-ken 'totdat jij zo vreemd en afwezig begon te doen' bleef tast-baar tussen ons in hangen.

'Spreken we elkaar gauw weer?' vroeg ik hoopvol.

'Uiteraard.' Hij keek alsof hij het meende, maar maakte te-gelijk een verwarde, teleurgestelde indruk. Even leek het alsof hij nog iets wilde zeggen, maar toen schudde hij zijn hoofd en keek hij weer voor zich uit.

Ik voelde me net zo. 'Welterusten,' zei ik ten slotte. Ik glim-lachte snel naar hem en stapte uit de auto.

Nate zette de auto in zijn achteruit en reed de oprit af. Toen toeterde hij kort en reed de straat uit.

18

Ik gooide het portier dicht en sjokte naar binnen. Mijn ouders
zaten met een doos After Eight aan de keukentafel te kletsen
over hun driemaal-woordwaarde-woorden. Ik pakte een paar
After Eights uit het doosje en een cafeïnevrije cola light
(noodzaak na middernacht, anders deed ik geen oog dicht) uit
de koelkast, en wenste hen welterusten.

Voordat ze me naar mijn avondje uit zouden vragen of mijn
vader weer zou beginnen op te scheppen over zijn monsterzege
op mijn moeder met zijn woord 'swarovski', ging ik naar mijn
kamer.

De avond met Nate, en dan vooral het laatste halfuur,
spookte door mijn hoofd. Ik zag ineens haarscherp in dat ik
mijn avond niet had moeten laten verpesten door Ruth.

Ik trok mijn pyjama aan om naar bed te gaan, te moe om
Lisa een post mortem te sms'en. En wat moest ik met Ruth?
Moest ik haar zeggen dat ik haar had gezien?

Net toen ik wilde gaan slapen, herinnerde ik me mijn blanco profiel. En net zoals ik nooit zou gaan slapen zonder mijn gezicht te wassen, zo kon ik ook niet gaan slapen zolang mijn profiel nog onvolledig was.

Voorzichtig pakte ik mijn laptop en logde in op Friendverse. Het eerste wat me opviel toen ik de statussen van mijn vrienden checkte, was dat Nate zijn schermnaam had veranderd. Het was nu simpelweg 'Nate'.

En hij was online.

Ik zag dat hij net zijn status had gewijzigd.

Friendverse
Statuswijzigingen

Bekijk alle

Nate is *bewitched, bothered and bewildered*
Gewijzigd 00.03u

Had dat iets met mij te maken? Dat kon toch niet anders, of? Ik bedoel, de kans was klein dat hij in de tussentijd door iemand anders was behekst. Per slot van rekening had hij me net thuis afgezet.

Terwijl ik naar het scherm staarde, besefte ik dat hij ook kon zien dat ík online was. Gauw veranderde ik mijn status. Ik haakte in op zijn liedtekst en nam de eerste regel van het refrein.

Madison is *wild again, beguiled again, a simpering, whimpering child again*
Gewijzigd 00.04u

209

Mijn ogen zogen zich vast aan het scherm, in de hoop dat hij zou reageren. Ik wist dat iedereen mijn rare status kon zien, maar daar zat ik niet mee. Als Nate iets tegen me wilde zeggen, dan wilde ik dat hij wist dat ik naar hem luisterde.

Er klonk een ping!

Nate is een beetje sceptisch.
Gewijzigd 00.08u

Oké, dat was duidelijk een reactie op mij. Helaas niet zo'n beste. Met bonzend hart veranderde ik mijn status weer.

Madison vindt dat jammer.
Gewijzigd 00.09u

Hij reageerde bijna meteen.

Nate is een beetje in de war.
Gewijzigd 00.10u

Madison wenste dat ze het laatste halfuur kon overdoen.
Gewijzigd 00.12u

Was dat te gretig? Ik had nauwelijks tijd om erover na te denken toen zijn status alweer veranderde.

Nate juicht dat van harte toe.
Gewijzigd 00.13u

Was dat een uitnodiging voor een nieuw afspraakje? Ik twijfelde. Ik bedoel, formeel hadden we nog geen afspraakje gehad.

Volgens het vreselijke boek dat Lisa vorig jaar had gelezen, *Regels voor tieners!*, moest een afspraakje minstens drie dagen van tevoren worden gemaakt wilde het een officiële date zijn. En hoewel ik die onzin niet geloofde, kon ik de definitie wel waarderen.

Was het wel een date geweest? Vroeg hij me om nog een keer met hem uit te gaan?

Ik besloot het vaag te houden.

Madison glimlacht.
Gewijzigd 00.15u

Nate is niet langer *bewildered and bothered.*
Gewijzigd 00.16u

Ik staarde naar die laatste zin en besefte dat hij het 'bewitched' had weggelaten. Waarmee hij dus zei dat hij door mij 'behekst' was. Behekst! Zoiets romantisch had nog nooit iemand tegen mij gezegd.

Tenzij ik natuurlijk te veel in zijn woorden las, wat heel goed mogelijk was.

Maar dat kon ik toch ook weer niet geloven.

Ik overwoog hem de volgende regel van het lied te sturen om zijn muzikale kennis te testen, maar toen herinnerde ik me dat er in de volgende regel '*worshipping the trousers that cling to him*' stond.

Op een of andere manier had ik het gevoel dat ik daarmee niet de juiste boodschap uitzond.

Maar ik wilde hem wel laten weten dat ik begreep (althans, dat dacht ik) wat hij probeerde te zeggen.

Madison rimpelt haar neus.
Gewijzigd 00.18u

Nate rolt met zijn ogen.
Gewijzigd 00.19u

Mijn computer pingde weer, en ik zag dat Lisa haar naam had gewijzigd en online was gekomen. Omdat alle wijzigingen op de homepage te zien waren, zou ze alleen die van mij zien. Ik kon me wel voorstellen wat ze ervan zou denken.

Maar dat kon me op dit moment weinig schelen.

Lisse wou dat haar vriendje zijn auto zo nu en dan liet doorwaaien om de pizzalucht te verdrijven.
Gewijzigd 00.20u

Madison betwijfelt of Nate zijn neus kan rimpelen.
Gewijzigd 00.21u

Lisse vraagt zich af wat Madison gerookt heeft.
Gewijzigd 00.22u

Lisse vraagt zich ook af waarom ze van niets weet.
Gewijzigd 00.22u

Nate betwijfelt of er zoiets als 'giftige jam' bestaat.
Gewijzigd 00.23u

Madison denkt 'touché!'
Gewijzigd 00.24u

Lisse is één groot vraagteken.
Gewijzigd 00.25u

Nate gaat een tukje doen.
Gewijzigd 00.26u

Ik keek teleurgesteld naar het scherm. Hoewel dit niet de meest geschikte manier was om te flirten – per slot van rekening kon een van mijn beste vriendinnen de helft van wat er werd gezegd meelezen, ook al zou ze er niets van begrijpen – vond ik het jammer dat hij offline ging. Aan de ene kant was ik blij dat ik iets van de vreemd verlopen avond had goedgemaakt, maar tegelijkertijd wist ik niet zeker of alles nu goed was.

Madison wenst je een goede nacht.
Gewijzigd 00.27u

Madison zegt ook 'slaap lekker.' ☺
Gewijzigd 00.27u

Nate glimlacht.
Gewijzigd 00.28u

Nate is uitgelogd.

Ik zag Nates online-lichtje grijs worden en zuchtte diep. Ik wist het niet zeker, maar ik had het gevoel dat we het hadden bijgelegd.

Ik staarde naar mijn blanco profiel en besloot dat ik het eigenlijk niet eens zo erg vond. Het was in elk geval een stuk minder rommelig dan daarvoor. Ik zou tegen Schuyler en Lisa zeggen dat ik een nieuwe feng shui-opmaak had. Glimlachend las ik het gesprek nog eens door. Ik was blij dat alleen Nate en ik er wijs uit konden worden.

Ping.

Lisse voelt zich buitengesloten.
Gewijzigd 00.29u

Madison belooft haar morgen bij het ontbijt alles te vertellen.
Gewijzigd 00.30u

Lisse zegt 'hiep hoi.'
Gewijzigd 00.30u

Madison denkt aan 11 uur in Stubbs.
Gewijzigd 00.31u

Lisse vindt dat een strak plan.
Gewijzigd 00.32u

Lisse is *très* moe. *Bonne nuit*!
Gewijzigd 00.32u

Lisse is uitgelogd.

Ik was blij dat we elkaar morgen zouden treffen in Stubbs. Als Schuyler onze statuswijzigingen nog zou zien, zou ze weten dat we daar hadden afgesproken en dat ze welkom was zich bij ons aan te sluiten. Maar ik verwachtte dat alleen Lisa zou komen. En misschien maar beter ook. Ik wilde met iemand over Ruth praten, en degene met wie ik normaal zou praten – Ruth – kwam logischerwijs niet in aanmerking.

Ik wijzigde mijn status een laatste keer.

'Madison is een schatje'

Toen bekeek ik mijn Top 8. Nadat mijn profiel was gekraakt, had ik de oude rangorde onder mijn weer vrienden ingesteld. Maar die klopte nu niet meer.

Ik gooide mijn Top 8 om. Op een of andere manier klopte het niet meer om Justin op één te hebben staan. En voordat ik me kon bedenken, haalde ik Connor en Sarah uit de Top 8 en zette Nate erin.

Top 8:

RueRue   Bonjour, Lisse   Shy Time   Justin

pizzadude   ginger_snap   Brian (niet Ed)   Nate
McMahon

Toen zette ik glimlachend mijn computer uit en ging naar bed.

19

Lied: *I hear the bells* – Mike Doughty
Quote: 'De mens is eerder geschokt door eerlijkheid
dan door bedrog.' – Noel Coward

'En toen?' vroeg Lisa terwijl ze nieuwsgierig over het Stubbs-
tafeltje naar me toe boog.

Ik had haar net over mijn date verteld en was aangekomen
bij het voorval met Ruth. 'Dus ik belde haar op. Ze keek op het
schermpje, maar nam niet op,' zei ik. Ik nam een slok van mijn
latte en glimlachte naar Kevin achter de toonbank. Hij had me
extra veel schuim gegeven, precies zoals ik mijn koffie het liefst
had.

'*Incroyable*,' mompelde Lisa. 'De enige reden waarom ze een
telefoontje van jou niet zou opnemen, is dat ze een romantische date had.' Lisa knipte met haar vingers. 'Ik wist dat ze een
oogje op iemand had. Ik wist het gewoon!'

'Maar waarom vertelt ze ons dat dan niet?' vroeg ik. Ik pikte
een stukje van Lisa's croissant. 'Gisteren zei ze nog tegen me
dat ze het zou vertellen zodra ze eraan toe was. En met iemand
koffie drinken in Stanwich lijkt me toch aardig serieus, of niet?'

'*Je ne sais pas*,' zei Lisa. Ze haalde beide schouders op.

'Nou,' zei ik, mijn handen afvegend, 'dan zal ik het haar van-avond op Brians feest moeten vragen.'

Lisa ging rechtop zitten. 'Feest?' zei ze. Haar ogen begonnen te glanzen. 'Welk feest?'

'Dus hij heeft je niet gezoend?' Ik kreunde. Ik bracht met Schuyler wat quality time door bij haar kapper. Haar stief-moeder wilde dat ze elke maand lowlights liet aanbrengen, en omdat Schuyler zich altijd verveelde bij de kapper, ging ik met haar mee om haar gezelschap te houden. Een bijkomend voor-deel was dat een van de kapsters vaak even mijn pony gratis wilde bijpunten.

'Nee,' zei Schuyler luidkeels boven het lawaai van de haar-droger uit. 'Maar het was wel heel leuk! Nou ja, behalve de film dus, want die was ondertiteld en ik zag niks. En Connor is ook zijn contactlenzen kwijt, dus we wisten eigenlijk niet waar het over ging. Mijn Koreaans is al net zo slecht als dat van hem.'

'Maar hij heeft je dus niet gezoend?' Ik wierp vanonder mijn uitgegroeide pony een zielige blik op een langslopende kapster.

'Nee,' zei Schuyler. 'Maar hij had gerbera's voor me meege-bracht, Mad! Mijn lievelingsbloemen! En we hebben elkaar bij het afscheid een knuffel gegeven.'

'En?'

Ze zuchtte gelukzalig. 'Dat was super.'

'Oké!' Ik glimlachte naar haar. Ik was blij met het goede nieuws. Terwijl de kapster aluminiumfolie in haar haren had gevouwen, had ik haar verteld over mijn rampzalig verlopen date en over het feit dat Ruth zich zo vreemd had gedragen. Shy vermoedde dat Ruth niet had geweten dat het telefoontje van mij was en dat ze daarom niet had opgenomen. Waarop ik haar had uitgelegd dat mensen die hun mobiel niet doorlopend uit het autoraampje gooien er meestal de tijd voor nemen om de telefoonnummers van hun vrienden in hun agenda te zetten.

'Echt wel,' zei Schuyler, en ze verschoof iets onder de haardroger. 'Maar ik weet nu niet wanneer ik Connor weer zie. Ik bedoel, behalve maandag op school natuurlijk. Ik bedoel hem zíén, als in...'

'Je ziet hem vanavond toch?' zei ik, zonder erbij na te denken. 'Op Brians feest?'

Schuyler zette grote ogen op. 'Brians feest?' vroeg ze hoopvol.

Ik zat op de achterbank van Daves BMW en draaide mijn raampje omlaag. 'God, Lisa had gelijk,' zei ik, en ik ademde de zoete, frisse lucht in. 'Je moet zo nu en dan je auto even goed doorluchten, Dave.'

'Hé!' zei Dave. Hij ving mijn blik op in de achteruitkijkspiegel. 'Wil je een lift of niet?'

'Zeg, eh, van wie weet jij dat Brian een feest geeft?' kaatste ik terug.

'Van Lisa,' zei Dave, met een blik op Lisa die naast hem op de passagiersstoel haar rode lippenstift bijwerkte in het spiegeltje van de zonneklep.

'*Oui*,' zei Lisa door gesloten lippen terwijl ze geconcentreerd verder werkte. '*Bien sur.*'

'Maar van wie weet jíj het dan?' vroeg ik haar.

'*Bof*,' zei Lisa. Ze wuifde ongeduldig met haar hand en deed het dopje weer op haar lippenstift.

'Ik dacht dat je de pizza's in de kofferbak had gezet,' zei ik. Dave had op mijn aanraden drie kaaspizza's meegenomen, in de hoop dat Brian niet zou merken dat ik een paar vrienden had meegenomen. 'Het stinkt hier naar knoflook.'

'Ach, ja,' zei Dave. Hij zag het stoplicht in de verte op oranje springen en trapte het gaspedaal in.

Meerijden met Dave was een bijzondere ervaring, of beter, een spirituele ervaring, want de helft van de tijd zat ik te bidden. Dat Lisa haar lippen kon stiften terwijl hij reed, betekende dat ze al heel lang bij elkaar moesten zijn.

'Ik bedoel, ik bezorg pizza's,' ging hij verder. 'En pizzageuren blijven nu eenmaal hangen.'

'Vertel mij wat,' mopperde Lisa.

'Welke pizza ruik ik nu?' vroeg ik terwijl ik mijn hoofd nog wat verder uit het raampje stak. 'Knoflook met salami?'

'Je gelooft het nooit,' zei hij, 'maar gisteravond heb ik ergens een pizza met ui, ansjovis en ham bezorgd. Ik dacht dat Ruth de enige was die dat lekker vindt.'

'Nee, hoor,' zei Lisa, en ze haalde haar poederdoos te voorschijn. Ik keek snel weg, want ik vreesde voor Daves leren bekleding. 'We hebben daar drie weken geleden toch ook zo'n pizza bezorgd. Weet je nog? Ik heb de stomerijrekening nog, mocht jij die kwijt zijn.'

'Weet je zeker dat hij niet voor Ruth was?' vroeg ik voor de grap.

'Ja. Tenzij ze naar een grote kast in Lower Cross Lane is verhuisd,' zei Dave. Hij reed naar de kant van de weg. 'Daar moest ik er trouwens twee bezorgen.' Hij parkeerde de auto. 'Zo, we zijn er.'

We waren nog zeker anderhalve kilometer van Brians huis verwijderd, maar omdat er, behalve fraude met hedgefondsen en dat soort praktijken, geen criminaliteit in Putnam was, had de politie in het weekend niets anders te doen dan tienerfeestjes verstoren. Wanneer er rijen auto's op een oprit stonden, was meteen duidelijk wat er gaande was. Vandaar dat het een gewoonte was om niet te dicht bij het feest te parkeren en de rest te lopen. Of het een goed feest beloofde te worden, viel op te maken uit de lengte van de rij auto's langs de route.

Nadat Dave de pizza's uit de kofferbak had gehaald, begaven we ons naar Brians huis. Mijn oog viel op zijn T-shirt met de beeltenis van onze dertiende president en de tekst KEEP IT COOLIDGE!

'Waar is Schuyler eigenlijk?' vroeg Dave onder het lopen.

'Ze rijdt met Connor mee,' zei Lisa opgewonden. 'O, *l'amour*.'

'Brian vermoordt me,' zei ik. 'Ik mocht het tegen niemand zeggen en nu zijn er ineens vier extra mensen voor zijn "huiswerkgroepje".'

'Als hij geen vier extra mensen kwijt kan, stelt dat feest ook niks voor,' zei Dave. 'Plus dat wij pizza bij ons hebben.'

'En we kennen Brian toch?' zei Lisa, '*n'est-ce pas*, Mad? Mad?'

Maar ik luisterde al niet meer: ik werd totaal in beslag genomen door een kersenrode, opgepimpte pick-up die langs de kant van de weg stond geparkeerd.

Eenmaal binnen, troffen we een typisch Brian-feest aan. In de keuken stonden drankjes en mixers, een op een koeler aangesloten biervat, ergens ratelde een blender, en de inhoud van meneer McMahons drankenkabinet stond uitgestald op het keukeneiland. Stiekem hoopte ik dat er in de keuken genoeg ijs te vinden was, want ik had een fles cola light meegenomen in mijn tas.

Voor iemand die beweerde een rustig feest te willen geven,

had Brian niet echt zijn best gedaan. De enige concessie die hij leek te hebben gedaan aan het feit dat hij huisarrest had (en dat waarschijnlijk voor de rest van zijn leven zou houden) was dat iedereen zijn schoenen moest uitdoen bij de voordeur.

Toen ik met Lisa en Dave was binnengekomen, had Brian me met een lichte frons maar niet echt boos aangekeken, dus ik voelde me al een stuk rustiger. Daarbij kwam dat ik eigenlijk ook helemaal geen tijd had om aan Brian te denken, want ik zocht het huis af naar Nate.

Ik zag hem nergens. Wel zag ik Justin en Kittson druk met elkaar staan kletsen bij de boekenkast in de woonkamer. Kittson droeg een hemdtopje en had, voor zover ik kon zien, geen zuigzoenen, dus misschien had ze Justin eindelijk op weten te voeden.

Ik zag Liz in haar eentje bij de open haard naar Jimmy op de veranda zitten staren. Jimmy maakte een droevige indruk.

Ginger deed een drankspelletje met mensen die ik vaag herkende van Brians vorige feestjes.

Connor en Schuyler zaten op een bank in de televisiekamer en zagen er samen ongelofelijk snoezig uit – ik had dus gelijk gehad – maar straalden ook aan alle kanten uit dat de rest van de wereld nu even niet bestond. Ik betwijfelde zelfs of Schuyler wist waar ze was, want ze leek zich totaal niet bewust van haar omgeving en alleen Connor te zien. Ik besloot later op de avond naar hen toe te gaan, als ze weer uit hun verdoving kwamen.

Toen Dave en Lisa op de bank in de woonkamer begonnen te vrijen (Dave en Lisa konden banken eenvoudigweg niet weerstaan; het had zelfs geen zin tegen hen te praten als er een bank in de buurt was – vandaar ook dat ik liever met hen in een koffiewinkel afsprak), ging ik op zoek naar ijs.

Op weg naar de keuken kwam ik langs de studeerkamer, waar ik Dell en Turtell in een hoek zag staan. Er hing een vreemde spanning in de kamer, alsof ik midden in een ruzie viel.

'Hoi,' zei ik vanuit de deuropening. De beide jongens keken me aan. Ze wekten niet de indruk blij te zijn me te zien. 'Wat is er?' vroeg ik, een tikje bezorgd.

'Hallo, Madison,' zei Dell, met een blik op Turtell.

'Hoi, Mad,' zei Turtell. Hij kwam door de kamer naar me toe gelopen. 'Ik moet met je praten,' voegde hij er zacht aan toe.

'Oké,´ zei ik. 'Ik ben zo terug. Ik ga eerst even iets te drin-ken halen.'

'Nee,' zei Turtell, en zijn stem klonk nog dieper. 'Ik moet je nu spreken. Alléén.´

O, god. Ineens begreep ik Turtells vreemde, smekende blik. Dacht hij dat ik mezelf bedoelde toen ik zei dat hij een leuk vriendinnetje moest zoeken? Ik hoopte niet dat hij een oogje op me had. Maar waarom zou hij me anders onder vier ogen willen spreken? Ik had op de basisschool nooit voor hem moeten opkomen. Dit was de straf voor mijn bemoeizucht. 'Oké,´ zei ik. Ik deed een voorzichtige stap achteruit. 'Maar ik ga toch eerst even iets te drinken halen. O ja, en Dell,' zei ik, 'ik wil je graag nog even spreken over mijn laptop. Hij doet weer gek.'

'O?' zei Dell, op zijn gebruikelijke uitdrukkingsloze manier. Waarschijnlijk wilde hij er niet op ingaan, bang dat ik een schadevergoeding zou eisen als er iets mis mee was. Wat ook zo was, maar toch.

'Ja,' zei ik. 'Ik spreek je straks nog wel. Tot zo, Glen,' zei ik. Ik was blij dat ik de vreemde spanning kon ontvluchten. Als ik Glen maar lang genoeg kon ontlopen, vergat hij misschien dat hij me wilde zeggen dat hij een oogje op me had. En dat misschien al zeven jaar.

Ik liep naar de keuken en pakte een rode beker. Ik vond zelfs een paar ijsklontjes en schonk mijn cola light in.

Ik dronk nauwelijks nog alcohol. Daar was ik zo goed als mee gestopt sinds ik me het jaar daarvoor op een feest van Brian had laten verleiden door een fles Jägermeister en drie uur lang had overgegeven. Ik hoor Ruth en Lisa nog ruziemaken over de vraag of ze me naar de eerste hulp moesten brengen.

Om die reden was ik nu behoorlijk populair op feestjes, want iedereen wilde me als de Bob, om maar niet bij de feestgever op de grond te hoeven slapen in de woonkamer of de veroordelende blikken van de geheelonthouders van SafeRides te hoeven verduren.

Terwijl ik wachtte tot het koolzuur uit mijn beker was verdwenen en ik weer kon bijschenken, keek ik naar buiten, waar ik Ruth met Jimmy zag staan praten op de veranda. Ik zocht om me heen naar Liz, maar ze bleek nog steeds bij de open haard te zitten. Ik hoopte vurig dat het weer goed tussen hen zou komen.

Ik zag Ruth ernstig op Jimmy inpraten en vroeg me voor de zoveelste keer af wat er met haar aan de hand was. Had ze soms met Jimmy koffiegedronken? Had ze een oogje op hém? Ik hoopte van niet. Het lag er dik bovenop dat Jimmy nog lang niet over Liz heen was. En ze hoorden bij elkaar, al was het maar vanwege de tatoeages die ze met kerst hadden laten zetten.

Toen Ruth zich naar hem toe boog, voelde ik me ineens heel eenzaam. Ik had haar de hele dag nog niet gesproken en begreep nog altijd niet waarom ze niet had opgenomen. Ik nam me voor aan het einde van de avond met haar te praten. Het ging wel om Rúth. We bespraken altijd alles met elkaar.

'Madison MacDonald,' zei een lage, hese stem naast me, 'in de keuken, met een cola light.'

Ik draaide me om en zag Nate staan, met zijn eigen rode beker in zijn hand. Hij glimlachte naar me. Hij leek zich speciaal voor de gelegenheid te hebben gekleed, want hij droeg een blazer op een spijkerbroek en een T-shirt. Hij zag er superleuk uit. Ineens wilde ik meer dan alleen maar zijn haar aanraken – hoewel ik dat óók graag wilde.

Maar het liefst wilde ik met hem zoenen.

'Hoi,' zei ik met een glimlach. 'Nate the Great.' Ik was ineens bang dat hij gedachten kon lezen en vervloekte mezelf dat ik Lisa's raad niet had opgevolgd en in de auto lipgloss had opgedaan. Of tijdens de anderhalve kilometer lange wandeling naar Brians huis. 'Heb je dat uit *Clue*?'

'Jazeker.' Hij liep om het keukeneiland naar me toe. 'Mag ik daar ook wat van?' Hij keek naar mijn flesje cola light.

'Zou je dat wel doen?' zei ik, en ik keek in zijn beker. 'Wat heeft erin gezeten?'

'Gewone cola.'

'Dat kun je beter niet mixen,' zei ik ernstig. Ik tikte met mijn vinger tegen mijn kin. 'Ik geloof dat er een uitdruk...'

Nate zette zijn beker op het keukenblad. 'Kom op.'

'Nou, omdat je zo aandringt,' zei ik, en schonk het restant uit mijn halve-literfles in zijn beker. 'Wil je geen drank?' vroeg ik luchtig.

'Vanavond niet,' zei hij. Hij keek me indringend aan.

Boink, deed mijn hart. 'O,' zei ik, zoekend naar woorden. Die moesten toch ergens zijn.

'Moet je luisteren, Madison,' zei hij. Hij deed twee stappen naar me toe en keek me diep in mijn ogen. Omdat ik van Brian mijn schoenen had moeten uitdoen en op blote voeten liep, leek hij nog langer dan anders.

'Ja?' zei ik. Ik probeerde mijn hart, dat nu *boink-boink-boink* deed, tot bedaren te brengen. Ik keek in zijn prachtige bruine ogen en hoopte dat ik een frisse adem had.

Hij haalde diep adem. 'Ik wilde je iets vragen...'

'Madison!' riep Ginger, die de keuken kwam binnenvallen en het moment volledig verpestte. Toen ze Nate zag, bleef ze staan. 'O, hoi,' zei ze. Zo te zien had Ginger de meeste drankspelletjes verloren – of gewonnen, afhankelijk van hoe je het bekeek – want ze was een tikje onvast ter been.

Ik verbeet me. Ik had er alles voor over gehad om Ginger twee seconden later te laten binnenvallen. Wat had Nate me willen vragen? Ik had een vaag vermoeden, en stel dat ik gelijk had? Had Ginger echt niet twéé seconden kunnen wachten?

'Hoi, Ginger,' zei ik. Ik probeerde zo vriendelijk mogelijk te doen. 'Eh, dit is Nate.' Ik bloosde een beetje. Ik had het gevoel dat ik hem voorstelde omdat we een stel waren. Wat natuurlijk onzin was.

'Hoi,' zei Nate. Hij nam een slok van zijn cola en keek me met opgetrokken wenkbrauwen over de rand van zijn beker aan.

'Hoi,' zei ze lijzig. Als er iemand snel dronken was, was het Ginger. Op castfeestjes moest iemand (meestal ik) haar bier altijd stiekem vervangen door alcoholvrije O'Doul's. Ginger scheen echter te denken dat ze daar flink aangeschoten van raakte, dus die strategie loste het probleem meestal niet op. 'Madison,' zei ze terwijl ze met wankele pas op me af kwam. 'Ik moet met je praten. Onder vier ogen.'

Ik zuchtte. Het leek wel het thema van het feest.

Ik wilde niet bij Nate weg. Hij had op het punt gestaan me iets heel belangrijks te vragen. En ik wilde dolgraag weten wat dat was. 'Eh, kan dat straks?' vroeg ik nadrukkelijk en ik keek haar veelbetekenend aan. Als Ginger nuchter was geweest had ze begrepen wat ik bedoelde: ga weg, ik sta hier met een leuke jongen te praten. Misschien kon het moment nog worden gered.

Maar de benevelde Ginger bleek een andere taal te spreken. 'Nee,' zei ze, en ze greep me bij mijn arm. 'Ik moet je nú spreken.'

Terwijl ze me de keuken uit sleepte, keek ik om naar Nate. Hij zag eruit alsof hij zijn lach inhield, maar ook een tikje teleurgesteld. 'Zie ik je straks?' riep ik naar hem.

'Dacht het wel,' zei hij met een glimlach. Maar toen hij zijn ogen neersloeg en nadenkend in zijn beker staarde, stond zijn gezicht weer ernstig.

Ginger trok me mee naar de veranda en ging op de hoek van een plantenbak zitten die tegen de balustrade stond.

'Wat is er?' vroeg ik terwijl ik naast haar ging zitten. Ik probeerde niet boos op haar te zijn. Ze was dronken en had waarschijnlijk geen idee dat ze een belangrijk moment had verstoord.

Achter Ginger zag ik Ruth nog altijd met Jimmy praten. Ze leek mij niet te zien, en ik wist dat ik gauw met haar zou moeten praten. Ik wist alleen nog niet wat ik van dat telefoontje moest denken.

Ginger keek me met samengeknepen ogen aan en wilde een slokje van haar bier nemen, totdat ze besefte dat haar beker leeg was. 'Ik wil nog bier,' mompelde ze.

Dat was waarschijnlijk niet de reden dat ze me wilde spreken. Kennelijk was ze vergeten wat ze me wilde zeggen en was ze niet meer in staat tot een normaal gesprek. 'Ik haal wel even een nieuw flesje voor je,' zei ik. Ik pakte een alcoholvrije O'Doul's uit de koelkast en gaf die aan haar.

'O, dit is lekker bier,' zei ze terwijl ze het flesje met een wazige blik bekeek en het etiket van het flesje probeerde te krabben.

'Nou, dan ga ik maar weer eens terug,' zei ik na een korte stilte.

Ze keek op en probeerde zich op me te focussen. 'Nee!' zei ze. Er golfde wat bier uit het flesje op mijn mouw. 'Madison! Ik moet met je praten!'

'Oké,' zei ik, zo geduldig mogelijk. Ik wrong mijn mouw uit. Ik hoopte dat Nate nog altijd in de keuken op me wachtte. 'Wat is er?'

'Je kraker,' zei ze, en ze probeerde te fronsen. 'Hij is hier... Ik hoorde hem met iemand praten.'

20

Lied: *Hello, my treacherous friends* – OK GO
Quote: 'Zolang er tijd genoeg is, maakt iedereen vroeg of laat alles mee.' – George Bernard Shaw

Ik ging rechtop zitten. Mijn hart leek langzamer te gaan kloppen toen ik Ginger de woorden 'kraker' en 'hier' hoorde zeggen. Ik keek om me heen naar de gezichten van de feestgangers. 'Wie is het?' vroeg ik aan Ginger. 'Je zei dat hij hier is. Wíé?'

Ginger nam een flinke slok van haar O'Doul's en knipperde een paar keer met haar ogen. 'Wie is hier?' vroeg ze nieuwsgierig.

'Pizza!' riep Dave, die de veranda op kwam lopen. Zijn gezicht zat onder de lippenstift en hij zag er verfomfaaid uit.

'O, lekker, pizza!' zei Ginger. Terwijl ze naar Dave strompelde, die de pizza's op een van de terrastafels had gezet, knoeide ze nog meer nepbier over me heen.

Ik zuchtte. 'Ginger,' zei ik, 'ik ben zo weer terug, oké?'

'Ja, hoor,' zei ze afwezig. Ze pakte een pizzapunt en nam een hap uit de korst.

228

Ik liep met een ongemakkelijk gevoel naar binnen. Was de kraker hier echt? Hier, in dit huis, op dit feest? En had hij het echt over mij gehad? Wie was het?

Ik liep door naar de keuken, en besefte dat Nate de enige was met wie ik hierover wilde praten. Hij had vast goede tips voor me en zou me kunnen helpen uitzoeken wie het was.

Want zelf had ik geen flauw idee wie het kon zijn.

Maar Nate was niet meer in de keuken. Natuurlijk kon ik niet van hem verwachten dat hij wachtte totdat ik aan de grillen van mijn dronken vriendin had voldaan. Ik hoopte dat hij op zoek was gegaan naar zijn vrienden, hoewel ik niet wist of hij behalve Brian nog andere mensen kende op het feest.

En ik hoopte dat die bekenden jóngens waren. Óf meisjes met een serieuze relatie.

Ik deed net een paar ijsklontjes in mijn beker toen Ruth de keuken binnenkwam.

'Hé,' zei ik verbaasd.

'Hoi,' groette ze terwijl ze om het keukeneiland naar me toe liep. 'Hoe is 't?'

'Gaat wel,' zei ik. 'Ik hoorde net van Ginger dat mijn kraker hier is en dat er over me wordt gepraat.'

Ruth keek om zich heen, net zoals ik had gedaan, alsof ze verwachtte dat er iemand met een rode K op zijn voorhoofd of een bord met een schuldbekentenis rondliep. 'Hier?' vroeg ze.

Ik knikte. 'Ja, maf idee, hè?'

Ze haalde haar schouders op. 'Ach, misschien ook niet. Ik bedoel, er stonden toch ook allemaal foto's van Brians feesten op je gekraakte profiel? Dan lijkt het me logisch dat hij nu ook weer van de partij is.'

'Misschien wel,' zei ik. 'Maar ik vind het een eng idee.'

'Logisch,' zei ze meelevend. Toen glimlachte ze naar me. 'Ik zag je daarnet met een leuke lange jongen staan praten,' zei ze. 'Was dat Jonathan?'

'Nate,' verbeterde ik haar. 'Ja. Hij schijnt al eeuwen met Brian bevriend te zijn.'

'Oké, Nate,' zei ze. Ze schudde haar hoofd. 'En?'

Ik probeerde niet te blozen. Helaas doe je daar weinig tegen. 'Niks mis mee,' zei ik. 'Heel gezellig. Ik vind hem wel leuk.'

Ruth trok haar wenkbrauwen op. 'En Justin dan?' zei ze.

Ik wuifde haar opmerking weg, en terwijl ik dat deed, besefte ik dat ik dat gebaar had overgenomen van Lisa. Nog even en ik zou ook nog maar één schouder ophalen. Ik liet mijn hand zakken. 'Dat is over,' zei ik. Ik had het nog niet gezegd of ik besefte dat het waar was. 'Bovendien heeft hij inmiddels iets met Kittson. En die vormen als Dubbel Blond het perfecte plaatje.'

'O,' zei Ruth, en ze nam een slok uit haar rode beker.

'Waar had je het trouwens net met Jimmy over?' vroeg ik. Ik hoopte erachter te komen met wie ze gisteravond uit was geweest en waarom ze mijn telefoontje niet had opgenomen. 'Ik zag jullie samen op de veranda staan kletsen.'

'We hadden het over Liz,' zei Ruth hoofdschuddend. 'Over wie anders?'

'En?' zei ik. 'Hij vertelt mij niks, want hij is nog altijd woedend op me. Komt het weer goed tussen hen?'

'Jimmy wil wel,' zei ze. 'Maar ik weet niet of het nog gaat lukken.'

'Ik hoop het wel,' zei ik. Buiten zag ik Jimmy moedeloos een pizzapunt naar binnen werken.

'Ik heb zo mijn twijfels,' zei Ruth, en ze draaide haar hoofd in de richting van de huiskamer, waar Liz met Dell op de bank zat te kletsen.

'Nee toch,' zei ik ongelovig. 'Liz en Déll?'

'Frank is een aardige jongen,' zei Ruth. Ze haalde haar – twee – schouders op. 'Ze had het slechter kunnen treffen.'

'Of beter,' zei ik. 'Met Jimmy!' Ik hoorde mijn stem omhooggaan. Ik wist dat ik me druk maakte, maar daar zat ik niet mee.

Van alles wat de kraker had aangericht, vond ik de breuk tussen Jimmy en Liz het allerergste. Mijn woede laaide weer op. Degene die Jimmy en Liz uit elkaar had gedreven, was hier en liet zich waarschijnlijk vollopen alsof er niets was gebeurd. 'Ik haat degene die dit heeft gedaan,' zei ik hoofdschuddend.

'Ja,' zei Ruth, en ze nam weer een slok. 'Ik vind het heel vervelend voor je, Maddie.'

'Ik heb je gisteravond trouwens nog gebeld,' zei ik langzaam, in een poging haar voor het blok te zetten. 'Maar je nam niet op.'

'O ja?' zei Ruth. Ze leek op haar hoede. 'Wanneer dan?'

'Is er nog wijn?' vroeg Kittson, die de keuken binnen kwam klossen op hakken die haar bijna even lang als mij maakten. Dat was knap, want ze was zeker tien centimeter kleiner dan ik. Zo te zien had ze Brians schoenenverbod genegeerd.

'Ik wist niet dat er wijn was,' zei ik, om me heen kijkend. 'In de koelkast.'

'Toilet,' mimede Ruth naar mij.

'Rue, wacht...' zei ik, maar kennelijk hoorde ze me niet, want ze liep de keuken uit.

Kittson trok de koelkastdeur open, pakte er een fles witte wijn uit, ontkurkte hem en schonk wat in haar beker. 'Zo,' ze walste de wijn rond in haar beker en nam een voorzichtige slok, 'ik heb Justin gedumpt.'

Ik wendde mijn blik af van de deur waardoor Ruth net was verdwenen en probeerde me te focussen op Kittson. 'Meen je dat?' zei ik. 'Vanavond? Op... een feest?' Ik was niet thuis in de dumpetiquette, maar ik kon me voorstellen dat dit wel een paar wenkbrauwen zou doen fronsen.

'Echt wel,' zei ze. Ze hees zich op het aanrecht en schopte met haar hakken tegen het keukenkastje eronder. 'Ik had ineens iets van nee, weet je wel? En toen zei hij, laten we het nog één keer proberen. Ik zei, mocht je willen. Daarbij,' ze nam nog een slok, 'hij is veel te klein voor bij mijn hoge hakken. Ik heb het gemeten.'

'O,' zei ik. Ik probeerde de informatie te verwerken. 'Wat jammer,' zei ik na een korte stilte.

Kittson haalde haar schouders op. 'Ach, valt wel mee. Ik kan wel iets leukers krijgen. Zeg...' zei ze, en ze leunde opzij om naar iemand te kijken die de keuken binnenkwam. Ik draaide me om en zag Nate met Brian aankomen. 'Wie is dát?'

'Brian,' zei ik, in de hoop dat ze niet Nate bedoelde. 'Hij woont hier.'

Ze rolde met haar ogen. 'Niet Brian. Ik bedoel die leuke emo-gast.'

'Hij is niet emo,' zei ik geërgerd. 'Ik bedoel, hij draagt een blázer. Maar goed, hij heet Nate.'

'O ja?' zei ze. Ze leunde nog een tikje verder opzij, zodat ze bijna plat op het aanrecht kwam te liggen. 'Wat een lekker ding.'

Ik werd zo jaloers dat de hele keuken groen kleurde. 'Hij...' zei ik toen ik mijn stem weer vertrouwde, '... ik bedoel, hij en ik hebben eigenlijk...' Ik wist niet of ik dit wel kon zeggen. Maar we hádden eigenlijk toch ook iets samen, of niet?

Kittson hief haar handen op. 'Ik begrijp het al,' zei ze. Ze trok één wenkbrauw op. 'Hoelang hebben jullie al...?'

'O,' stamelde ik. 'Niet officieel maar... eh, ik bedoel...'

'Waarom sta je dan nog met mij te praten?' vroeg Kittson. Ze sprong van het aanrecht af, trok haar tasje van haar schouder en ging voor me staan.

'Kittson, wat doe...' zei ik terwijl ze een prachtig make-uptasje openritste. Ze draaide de dop van een kleine goudkleurige tube, spoot wat transparante vloeistof in haar handen en haalde haar handen door mijn haar.

'Beter zo,' zei ze. Ze pakte een lipgloss en streek die zo snel over mijn lippen dat ik niet eens zag welke kleur het was. 'Ogen dicht,' vervolgde ze, en omdat het makkelijker was haar te gehoorzamen, sloot ik mijn ogen. Intussen bedacht ik hoe bizar het was dat Kittson Pearson mij een make-over gaf. Niet negatief bizar, maar verrassend bizar. En dat het waarschijnlijk niet was gebeurd als ik niet zou zijn gekraakt. Raar maar waar.

Ze deed een stap achteruit om haar werk te bewonderen. 'Véél beter,' zei ze. Ik probeerde me niet beledigd te voelen. 'Hup, ga maar gauw met hem flirten.'

'Oké,' zei ik. Bij de deur draaide ik me nog even naar haar om en zag dat ze nippend van haar wijn de achtertuin afspeurde naar mogelijke kandidaten. 'Dankjewel,' zei ik.

'*De nada*,' zei ze luchtig.

Ik liep door naar de huiskamer om Nate te zoeken. Intussen hield ik iedereen die eruitzag als een mogelijke kraker in de gaten. Ik zag Schuyler en Connor, die nog nooit zó dicht tegen elkaar aan hadden gezeten. Shy werd even wakker uit haar verdoving, wuifde glimlachend naar me en draaide zich toen weer naar Connor. Liz zat nog altijd op de bank met Dell te kletsen, terwijl Jimmy hen vanaf de andere kant van de kamer met een lijkbleek gezicht gadesloeg. Maar geen Nate.

Ik was net op weg naar de televisiekamer om te zien of hij daar misschien was, toen iemand me aan mijn arm de studeerkamer in trok en de deur achter me dichtgooide.

21

Toen ik me omdraaide, stond Turtell voor mijn neus. Hij voelde zich duidelijk ongemakkelijk. Hij liet mijn arm los en stak zijn handen in zijn zakken. 'Glen!' zei ik. 'Wat is er aan de hand?'

'Ik zei toch dat ik met je moest praten, Mad,' zei hij. 'Onder vier ogen.'

'O, ja,' zei ik. Na alles wat er vanavond was gebeurd, was ik vergeten dat hij misschien een oogje op me had. Ik bedacht hoe ik hem voorzichtig kon afwijzen en wenste dat Kittson me niet had opgemaakt, want dat maakte het waarschijnlijk alleen maar moeilijker voor hem. 'Luister, Glen,' zei ik zo vriendelijk mogelijk. 'Je weet dat ik je mag, als vriend. Maar ik vind wel dat we vrienden moeten blijven. Dat is gewoon gemakkelijker, en...'

'Madison, waar héb je het over?' zei hij. 'Luister, we moeten het over je laptop hebben.'

'O,' zei ik, in de hoop niet al te teleurgesteld te klinken. Dit was al de tweede jongen in vier dagen die niet verliefd op me was terwijl ik dacht dat dat wel zo was. De moed zonk me in de schoenen. 'Wat is er met mijn laptop?'

'Moet je horen,' zei hij. 'Je weet dat ik vaak bij de rector moet komen.'

'Dat kun je wel zeggen,' verzekerde ik hem.

'Daarom heb ik toegang tot bepaalde zaken... eh, nou ja, ik zie wel eens wat. Maar als je dat soort informatie eenmaal hebt, is het best moeilijk te besluiten wat je ermee moet, begrijp je?'

'Glen,' zei ik met een frons terwijl ik een stap achteruit deed, 'wat wil je me nu eigenlijk zeggen?' Ik herinnerde me ineens de Metallica-cd's die wonder boven wonder weer boven water waren gekomen en hoe nerveus hij werd als iemand over de kluisjesdiefstallen begon.

'Sorry, maar wat ik wil zeggen,' zei hij terwijl hij gefrustreerd een hand door zijn haren haalde, 'had ik waarschijnlijk al veel eerder moeten zeggen. De database van de kluisjescode, meneer Trents database...'

De deur zwaaide open en het volgende moment stond Kittson voor mijn neus.

'Madison,' zei ze met een verbaasde frons. 'Wat doe jíj hier?'

'Kittson,' zei ik, 'ik ben bezig.' Waarom viel iedereen toch zomaar overal binnen?

'Ja, maar waarmee?' vroeg ze met een snelle blik op Turtell. Toen keek ze nog een tweede keer en bleef hem een tijdlang aanstaren. 'Ik bedoel, dit is niet die Nate over wie je het had.'

'Nee,' zei ik, 'maar we zitten net midden in een gesprek, dus...'

'Het geeft niet, Mad,' zei Turtell, die zijn ogen geen moment van Kittson had afgewend. 'Ik spreek je straks wel.'

'Maar je zei dat het belangrijk was,' zei ik geërgerd.

'Valt wel mee,' zei hij, en hij leunde met zijn hand tegen de deurpost boven Kittsons hoofd. 'We praten straks wel verder.'

'Jij bent toch, Glen?' zei Kittson. Ze streek met haar hand door haar pony. 'Die jongen die altijd wordt geschorst?'

Turtell sloeg zijn ogen neer. 'Ik weet ook niet hoe dat komt,' zei hij. Het viel me op dat zijn stem ineens een octaaf lager klonk. 'Soms heb ik mezelf niet in de hand.'

'Ik begrijp wat je bedoelt, Glen,' zei Kittson poeslief.

Kittsons vrijpostigheid verbaasde me, en ik voelde me ineens overbodig. Ik bedoel, ze was op de kop af drie kwartier single. Toch bewonderde ik haar directheid.

'Nou, dan ga ik maar eens,' zei ik. Geen van tweeën schonk nog aandacht aan me. Ik wurmde me langs hen heen de studeerkamer uit. De deur werd bijna meteen achter me gesloten.

Wat had Turtell me willen zeggen? Had hij mijn laptop gestolen? Die indruk kreeg ik wel, maar ik kon het niet geloven. Of wist hij misschien wie het had gedaan? Balend van Kittson en haar storende gedrag, ging ik weer op zoek naar Nate. Ik hoopte dat we ons gesprek eindelijk konden afronden.

Nadat ik de meeste, nogal uitgeleefde kamers had gecontroleerd, liep ik naar de achterkant van het huis en ging de bijkeuken binnen. Toen ik het licht aanknipte, merkte ik dat ik niet alleen was.

Op een bank met kussens zat Justin.

'Hé, Justin,' zei ik terwijl ik achteruit naar de deur liep. Waarschijnlijk had hij zich hier in zijn eentje teruggetrokken om de breuk met Kittson te verwerken. Ik wilde tegen hem zeggen dat hij de studeerkamer beter kon mijden, maar besloot dat hij dat maar zelf moest ontdekken. 'Sorry,' zei ik, en ik draaide me om.

'Madison, wacht even,' zei Justin. Hij stond op en kwam naar me toe. 'Ik moet met je praten. Ik was je al aan het zoeken.'

Ik keek om me heen. 'Niet waar,' zei ik. 'Je zat hier alleen in het donker.'

'Maar ik wílde wel met je praten.'

Ik wilde net zeggen dat dat iets heel anders was, toen hij een stap naar me toe deed.

'Madison,' zei hij, 'het was fout van me om het met je uit te maken. Toch? Ik heb je gemist,' zei hij terwijl hij zich naar me toe boog.

Geschrokken deed ik een stap achteruit. 'Justin,' zei ik, 'waar heb je het over? Je hebt me helemaal niet gemist. Ik heb net van Kittson gehoord dat ze het heeft uitgemaakt.'

'Nee, ik heb het uitgemaakt,' zei hij ernstig.

Ik wilde niet met mijn ogen rollen, maar kon me niet inhouden.

'Ik lieg niet,' hield hij vol. 'Het ging niet goed tussen Kittson en mij. Ik miste jou, Mad. En omdat jij niet wilde dat het uit was, kunnen we toch net zo goed weer samen verdergaan, of niet?' Hij keek me verwachtingsvol aan.

Ik liet het even bezinken.

'Dus,' zei Justin, 'om een lang verhaal kort te maken...'

'Te laat,' zei ik automatisch.

'Wat?' zei hij. Hij keek me wezenloos aan. 'Hoe bedoel je?'

'Laat maar zitten,' zei ik. 'Je zou het toch niet begrijpen.' Ik keek naar zijn leuke, volkomen emotieloze gezicht en besefte dat ik gelijk had. Hoe had ik ooit kunnen denken dat hij mijn schildpadje was? We hadden niets gemeen. 'Luister, Justin,' zei ik, 'ik denk dat we het beter...'

Ik had iets willen zeggen in de trant van 'voor gezien kunnen houden' of 'zo kunnen laten.'

Maar ik kreeg de kans niet, want Justin deed een stap naar me toe en kuste me.

Ik probeerde me los te wringen, maar hij zoende nogal enthousiast, dus dat lukte me niet één, twee, drie. Maar uiteindelijk lukte het me hem van me af te duwen.

Op dat moment zag ik Nate met een geschokt gezicht in de deuropening van de bijkeuken staan. Hij draaide zich met een ruk om en liep weg.

'Nate!' riep ik hem na. Ik wilde achter hem aan lopen, maar Justin greep me bij mijn hand.

'Wat ga je doen, Maddie?' vroeg hij, nog altijd met een wezenloze blik. 'We zijn nog maar net begonnen.'

'Justin,' zei ik terwijl ik mijn arm losrukte, 'het komt niet meer goed tussen ons.'

'O nee?' reageerde hij teleurgesteld.

'Nee,' zei ik. Toen realiseerde ik me dat hij die avond voor de tweede keer werd afgewezen. 'Eh, sorry.' Na die woorden rende ik de bijkeuken uit, op zoek naar Nate. Ik moest hem uitleggen dat het niet was wat hij dácht dat het was.

'Nate!' riep ik weer, nog steeds achter hem aan hollend. Maar Brian had een grind-oprit, en ik wist dat ik zonder schoenen niet veel verder zou komen dan een paar passen. Balend van Brians idiote schoenen-uit-idee, trok ik het eerste paar teenslippers aan waarvan ik dacht dat ze me zouden passen en rende over de oprit naar de straat, waar ik nog net een paar achterlichten van een rode pick-up om de hoek zag verdwijnen.

Nate was weg.

Een halfuur later zat ik boven aan de verandatrap te piekeren wat ik het beste kon doen. Nate moest de waarheid weten: dat ik niet met Justin had gezoend, maar tegen mijn wil door hem was gekust. Zou hij me geloven? Zou hij het überhaupt nog willen weten na wat hij had gezien?

'Hééé, Mad,' zei Ginger. Ze kwam naar me toe gezwalkt en ging naast me op de trap zitten. 'Hoesmeejou?'

'Goed,' loog ik knarsetandend. 'En met jou?'

'Moe,' zei ze. Ze liet haar hoofd akelig dicht naar mijn schouder zakken. Als Ginger eenmaal sliep, was er geen beweging meer in haar te krijgen. Vandaar dat ze vorig jaar tijdens het feest na de laatste uitvoering van *Willy!* haar O'Doul's-roes had moeten uitslapen op de trampoline in Marks achtertuin.

Ik stond zuchtend op en trok Ginger overeind. 'Ga je sleutels maar halen,' zei ik, 'dan breng ik je naar huis.'

22

Lied: *Putting it together* – Stephen Sondheim
Quote: 'Bij gelijkwaardige verklaringen is de eenvoudigste de beste.' – Ockhams scheermes

Het was drie uur in de nacht en ik lag – weer – wakker.

Mijn hoofd tolde van alles wat er was gebeurd op het feest: met Nate, Justin, Ruth, Kittson en Turtell. Ik had het gevoel dat alles met elkaar te maken had, maar zag op een of andere manier het verband niet. Terwijl ik toch vrij goed in wiskunde ben.

Ik knipte mijn bedlampje aan, stapte uit bed en liep naar mijn slaapkamerraam. Toen ik na het feest was thuisgekomen, sliepen mijn ouders al, en ik hoopte dat ik op tijd wakker zou worden om Gingers auto terug te brengen voordat ze met vervelende vragen zouden komen over de onbekende SUV op de oprit. Ik duwde het raam open, leunde met mijn ellebogen op de vensterbank naar buiten en ademde de frisse nachtlucht in om mijn hoofd helder te krijgen.

Vervolgens liep ik naar mijn kurkwand en staarde naar de foto's die ik erop had geprikt.

241

Ikzelf. Lisa. Dave. Justin. Schuyler. Connor. Jimmy en Liz. Ruth. Ginger. Sarah. Brian. Turtell. Kittson. Dell.

Ik haalde de foto's er één voor één af. Ik had het gevoel dat ik mijn gedachten moest projecteren op de muur. Ik pakte het lijstje dat Ruth de week ervoor voor me had gemaakt en hing het in het midden van de wand.

Daarna verdeelde ik de foto's over alle vier de hoeken en dacht na over de verborgen agenda's, verlangens en gevoelens van mijn vrienden. Ik probeerde de tijdlijn van de gebeurtenissen te reconstrueren. Vervolgens bekeek ik de wand van een afstandje. En nog steeds zag ik het verband niet.

Toen schreef ik drie dingen waar ik nog steeds geen wijs uit werd op kaartjes en prikte ze op de wand.

Pizza/Lower Cross Lane
Jonathan
Q

Op dat moment had ik pas het gevoel een beetje dichter bij de waarheid te komen – hoe die er ook uit mocht zien – en ging weer naar bed.

Maar het duurde lang voordat ik sliep.

'Waar zijn we?' vroeg Ginger. Ze kneep geïrriteerd haar ogen samen tegen het felle zonlicht.

'We zijn onderweg naar mijn huis,' zei ik voor de vierde keer tijdens ons nog geen twee kilometer lange ritje. 'Hier links.' Zodra ik die ochtend wakker was, was ik naar Ginger toe gereden om de auto om te verwisselen voordat mijn ouders haar auto op de oprit zouden zien staan. Dat had ik al vaker gedaan na een feestje, maar hoeveel ervaring ik ook had, het bleef zenuwslopend.

'Hier?'

'Ja,' zei ik, 'het derde huis aan de rechterkant.'

Ginger reed met een veel te scherpe bocht de oprit op en parkeerde voor ons huis. 'Bedankt,' zei ik. Ik keek haar aan. Ze zag er geradbraakt uit. 'Kom je goed thuis?' vroeg ik. 'Of zal ik de route even programmeren?'

'Nee, het lukt wel,' zei ze, en ze nam een slok uit de fles water die ik voor haar had meegenomen toen ik naar haar huis reed. 'Maar, eh, mag ik je iets vragen, Mad?'

'Ga je gang,' zei ik met een snelle blik op ons huis. Ik hoopte dat mijn ouders nog niet op waren.

'Heb je... Ik bedoel...' Ginger wreef met haar hand over haar ogen. 'Volgens Marilee stond er in een van je gekraakte blogs... dat je me een irritante kwebbel vindt die niet tegen drank kan.'

Ze keek me met rode ogen aan. 'Heb jij dat gezegd, Mad? Ik dacht dat we vriendinnen waren. Ik bedoel, ik weet dat ik snel dronken ben, maar dat andere?'

'Nou, niet op die manier,' zei ik, bijna automatisch. 'Ik bedoel, ik zou het nooit hebben opgeschreven, en zeker niet op internet hebben gezet, want er is een verschil tussen...'

Ik keek naar Ginger en zag dat ze ondanks haar kater een gekwetste en verbaasde uitdrukking op haar gezicht had. Plots besefte ik dat er helemaal geen verschil was. 'Ja,' zei ik nadenkend, 'dat heb ik gezegd. En het spijt me heel erg, Ginger.'

Ze keek me met samengeknepen ogen aan. 'O,' zei ze. 'Nou... oké.'

'Oké?' herhaalde ik verbaasd.

'Ja,' zei ze. 'Maar doe het niet nog een keer, oké, Mad? Ik heb liever dat je het dan gewoon tegen mij zegt.'

Ik glimlachte opgelucht naar haar. 'Daar heb je helemaal gelijk in.'

'Hé, pap,' zei ik verbaasd toen ik de keuken binnenkwam en hem aan de tafel zag zitten. Ik had gehoopt dat ik muisstil naar boven zou kunnen glippen, zodat niemand zou merken dat ik weg was geweest.

Mijn vader keek op van het scrabblebord dat voor hem op tafel lag. Hij leek ook verbaasd míj te zien. 'Waar kom jij vandaan?' vroeg hij. 'Ik dacht dat je nog in bed lag.'

'Ik kwam nog wat koffie halen,' zei ik. Totdat ik me realiseerde dat ik geen beker bij me had. 'Hoewel... Ik heb eigenlijk genoeg gehad.'

'O,' zei mijn vader, en hij richtte zich weer op het scrabblebord.

Ik ging tegenover hem aan de tafel zitten en staarde naar de lege vakjes en letterblokjes. 'Ik snap niet wat jij en mama zo leuk aan scrabble vinden.'

'Tja,' zei mijn vader terwijl hij zijn blik van zijn letterbalkje naar het bord liet glijden, 'omdat het een puzzel is. Vaak ligt het antwoord voor je neus, maar zie je het alleen niet.'

Er begon bij mij een belletje te rinkelen.

'Huh,' mompelde ik. Ik staarde weer naar het speelbord. 'Ik zou hier iets doen,' zei ik, en ik tikte met mijn vinger op een vrij liggende t.

'Nee, nee,' zei hij, starend naar zijn letters. 'Je moet een woord zien te vinden dat andere woorden kruist. Als je zomaar ergens één woord neerlegt, kom je niet ver. Ze leveren meer op als je ze combineert.'

Het belletje rinkelde harder nu.

'Interessant,' zei ik. Terwijl mijn vader naar het bord staarde, wenste ik dat ik een kop échte koffie had in plaats van de oploskoffie die ik die ochtend had gehad. 'Dat is geen woord,' zei ik toen hij 'ockham' neerlegde.

'Jawel, hoor,' zei hij. Hij noteerde de score. 'Ockham is een veertiende-eeuwse monnik.' Ik zuchtte, want ik voelde dat mijn vader aan een monoloog wilde beginnen. 'Hij is bekend van het principe "het scheermes van Ockham": "De eenvoudigste verklaring is meestal de beste." Of zoiets.'

Het antwoord lag voor mijn neus... ik zag het alleen niet. Zaken leveren meer op als je ze combineert. De eenvoudigste verklaring is meestal de beste.

Het belgerinkel in mijn hoofd zwol aan en ik had het gevoel dat de oplossing nabij was. 'Bedankt, pap,' zei ik, en ik holde naar boven.

Ik liep naar de kurkwand, bekeek mijn vrienden op de foto's en dacht na over hun mogelijke motieven.

En ineens zag ik de oplossing.

Ik kon het niet geloven, maar de puzzelstukjes vielen op hun plaats.

Maar dit was nog maar de helft van het verhaal. Ik pakte mijn mobiel, scrolde door mijn agenda en belde een nummer.

We voerden een kort gesprek en trokken een los eindje na waar ik nog vragen over had.

Vervolgens zocht ik voor de zekerheid een adres in Lower Cross Lane op. Mijn vermoeden klopte. Alles viel op zijn plaats, ook al brak de oplossing mijn hart. Ik was verraden door iemand van wie ik onvoorwaardelijke steun had verwacht.

Ik haalde diep adem en pleegde drie telefoontjes, twee naar degenen die het hadden gedaan en één voor morele steun.

'Hoi,' zei ik drie keer, 'ik moet met je praten. Kun je over twintig minuten naar Putnam Park komen?'

23

Hoewel Putnam Park een van de kleinere parken in de stad was, was het altijd mijn favoriete ontmoetingsplek geweest. Het had een groot open grasveld, lommerrijke paden en een kleine vijver waarin altijd wel een groepje eenden en zo en nu dan een paar zwanen zwommen. Rondom de vijver stonden bankjes waarop je op mooie dagen perfect naar de eenden kon kijken. Ik stopte mijn mobiel in mijn zak, haalde diep adem en liep naar de vijver toe.

Ruth zat al op een bankje te wachten.

'Hoi,' zei ik. 'Ben je al lang hier?'

'Nee,' zei ze. Ze stond op en friemelde aan haar R-hanger die onder het sjaaltje om haar nek hing. 'Maar waarom moest ik eigenlijk komen?'

Ik haalde diep adem. 'Ik weet wie het heeft gedaan,' zei ik. Ik keek het park rond, maar behalve een paar Nordic-walkende bejaarden, zag ik niemand. 'Wie mijn profiel heeft gekraakt, bedoel ik.'

'Meen je dat?' zei Ruth, de R heen en weer bewegend. 'Wat goed van je! Wie was het?'

'Ze komen ook zo,' zei ik. We stonden even zwijgend naast elkaar. 'Ik herinner me de eerste keer dat ik hier kwam,' zei ik. 'Ik zat nog in groep vijf, geloof ik. Carrie Tolliver hield haar verjaardagsfeestje bij de vijver en iedereen voerde cake aan de eendjes. Weet je nog?'

Ruth schikte haar sjaaltje. 'Nee,' zei ze. 'Ik was niet uitgenodigd.'

Ik probeerde me die dag, nu acht jaar geleden, voor de geest te halen. 'Is dat zo?' zei ik. 'Ik zou zweren...'

'Nee,' zei ze. 'Carrie en ik waren dikke vriendinnen, totdat jij hier kwam wonen. Toen was het ineens over. Ik herinner me nog precies hoe het was toen jij bij ons op school kwam,' zei ze met een lachje. 'Je kwam uit Bóston. En je droeg van die hippe kleren van Gap Kids. Je weet wel, van die compleet op elkaar afgestemde outfits. Iedereen wilde meteen vriendinnen met je worden.'

Ik keek Ruth strak aan. 'Dat wist ik niet,' zei ik. 'Ik was dolblij dat ik jou leerde kennen en dat we vriendinnen werden.'

'Ik ook,' zei Ruth na een korte stilte. 'Natuurlijk.'

Ik liet mijn blik van de ene kant van het park naar de andere kant glijden. 'Daar heb je ze,' zei ik.

Dell en Turtell kwamen, iets later dan afgesproken, vanuit twee tegenoverliggende parkingangen in onze richting gelopen.

'Is dat Turtell?' vroeg Ruth. 'En Dell?'

Ik zuchtte. 'Ik ben bang van wel.'

De jongens hielden elkaar angstvallig in de gaten. Het viel me op dat Turtell ondanks zijn zenuwachtige houding een gelukkige indruk maakte, dus ik vermoedde dat zijn avond met Kittson geslaagd was geweest.

'Wat is er aan de hand, Madison?' vroeg Dell toen hij voor ons stond. 'Ik heb geen tijd om hier rond te hangen. Ik moet nog een hoop werk doen.'

'Dat geloof ik graag,' zei ik effen terwijl ik hem strak aankeek. Hij bond meteen in.

'Nu even serieus, Mad,' zei Turtell. 'Ik vind het geen probleem hier een beetje rond te hangen – althans, zolang Kittson het goed vindt – maar zeg dan wel waarom ik hier naartoe moest komen.'

'We zijn hier omdat mijn Friendverse is gekraakt,' zei ik. 'Omdat iemand zijn best heeft gedaan mijn leven op zijn kop te zetten. Niet alleen dat van mij, trouwens, ook dat van mijn vrienden. De kraker wilde dat het uit raakte tussen mijn vriendje en mij, en tussen een stel dat al heel lang bij elkaar was. De kraker wilde dat ik niet in de leerlingenraad kwam en probeerde mijn vrienden tegen me op te zetten. Ik weet wie het heeft gedaan. En ik denk dat ik ook weet hóé. Daarom zijn we hier.'

Dell opende zijn mond, maar ik was hem voor.

'Dell,' zei ik. 'Jij hebt mijn profiel gekraakt.'

Dell sloot zijn mond weer.

'Toen je mijn laptop repareerde, heb je mijn wachtwoord gestolen. Zodoende kon je zonder probleem inloggen op mijn profiel. Je wist ook dat de letter q het niet deed, en daarom kwam de q ook niet in mijn gekraakte profiel voor. Jij was de enige die dat wist.'

Dell staarde me aan en zijn hoofd werd steeds roder.

'Nadat je de database met de cijfercodes van de kluisjes had opgezet voor meneer Trent, hield je een kopie voor jezelf. Zo kon je mijn kluisje openen toen ik in de les zat, mijn laptop eruit halen en hem later weer terugleggen. Maar omdat mijn les eerder afgelopen was dan jij had verwacht, merkte ik dat hij weg was. Intussen had jij mijn nieuwe wachtwoord van mijn laptop gehaald, zodat je me opnieuw kon kraken. Gelukkig had ik mijn wachtwoord weer veranderd voordat je nog meer schade kon aanrichten.'

Dell was nu vuurrood. Hij keek zowel boos als gegeneerd, maar zei nog altijd niets.

'Maar misschien heb ik iets over het hoofd gezien?' zei ik. 'Ik snap wel hóé je het hebt gedaan, maar niet wáárom? Je had de mogelijkheid en de middelen, maar ik zie het motief niet.'

'Maar Mad,' zei Turtell, 'ik begrijp niet wat dat met mij te maken heeft.'

'O, jij bent hier om me te steunen, Glen,' zei ik. Toen wendde ik me tot Ruth. 'Zo, en vertel me nu maar eens waarom je het hebt gedaan.'

24

Ruth keek me met samengeknepen ogen aan. 'Hoe bedoel je?' zei ze. 'Ik begrijp niet waar je het over hebt.'

Ik staarde haar aan. Even hoopte ik dat ik het bij het verkeerde eind had. Maar diep in mijn hart wist ik dat ik gelijk had, hoe graag ik ook zou willen dat het niet zo was.

'Echt niet?' zei ik. Ik probeerde mijn stem kalm te houden. 'Wou je beweren dat je mijn profiel niet hebt gekraakt?'

Ruth keek me recht in de ogen. 'Natuurlijk niet, Maddie. Je bent mijn beste vriendin.'

'Heb je het warm?' vroeg ik. 'Komt zeker door dat sjaaltje van je.'

Ruth keek neer op haar sjaaltje en trok de knoop iets losser. Mijn oog viel op een vuurrode zuigzoen in haar hals. Meer bewijs had ik niet nodig.

'Je hebt Dell gevraagd mijn profiel te kraken,' zei ik. Ik kon me niet langer inhouden. 'Het was allemaal jouw idee. En noem me geen Maddie.'

251

'Waar héb je het over?'

'Wou je het echt blijven ontkennen?' vroeg ik.

Ruth kruiste haar armen voor haar borst en staarde me zwijgend aan.

'Oké,' zei ik. 'Ik vind het vreselijk, maar er zit niks anders op.' Ik staarde naar de persoon van wie ik dacht dat ze mijn beste vriendin was en verbeet mijn tranen. Huilen kon altijd nog.

'Jij was mijn beste vriendin,' zei ik. Ik moest mijn best doen mijn stem niet te laten trillen.

Bij het horen van de verleden tijd kromp Ruth ineen.

'Jij weet alles van me. Je wist dat ik op vakantie was en dat ik nauwelijks kon internetten op de boot. Je hebt stapels foto's van feesten waar we samen heen zijn geweest en waarmee je dat vreselijke nepprofiel van mij kon maken. Je kent alle geheimen waarover is geblogt. Én je zorgde ervoor dat het uitging tussen Justin en mij zodat jij hem kon inpikken.'

Ruth legde snel haar hand in haar hals.

'Ik neem aan dat die zuigvlek van gisteravond is?' zei ik. Ze staarde me met een uitgestreken gezicht aan. 'Weet je al dat hij me terug wilde, maar dat ik hem heb afgewezen? Daarna was jij kennelijk aan de beurt.'

'Dat heeft hij gezegd, ja,' snauwde Ruth.

'Je hebt al maanden een oogje op hem,' zei ik. 'Al vanaf dat je hem voor het eerst bijles gaf, nietwaar?' zei ik. 'Kittson wist ervan. Niet wie je was, maar wel dat Justin iets had met een ander meisje. Toen het met mij aan raakte, heb je actie ondernomen om hem van me los te weken.'

'Dat was het niet alleen,' zei Ruth boos. 'Je waardeerde Justin niet. Nooit gedaan ook. Je vond hem alleen maar leuk. Je zag niet wie hij was.'

'O, en jij wel?' kaatste ik terug.

'Ja, ik wel,' zei ze.

'Maar dat werkte kennelijk niet,' zei ik. 'Nadat je mijn profiel had gekraakt om ons uit elkaar te drijven, koos hij voor Kittson.'

'Alsof Justin de enige reden was,' zei Ruth met een vreugdeloos lachje. 'Dacht je nou echt dat ik je alleen om Justin door Dell heb laten kraken? Ik was het gewoon zat. Zat dat iedereen altijd maar weer in die Madison MacDonald-mythe trapte. Mísselijk werd ik ervan. Want dat is al zo vanaf groep vijf.'

'Wat bedoel je?' fluisterde ik. Ik had me sterk kunnen houden omdat ik dacht dat het om een vriendje ging. Ik wist niet of me dat ook zou lukken als 'mijn beste vriendin' me op deze manier bleef aankijken.

'Nou, gewoon,' zei Ruth met stemverheffing, 'dat iedereen je altijd zó leuk en aardig vindt, terwijl jij altijd maar achter hun rug om zit te roddelen. Alles wat ik heb geschreven, heb je zelf gezegd, Madison. Ik vond dat mensen maar eens moesten weten hoe je over hen dacht en dat je niet zo geweldig bent als je je voordoet. Je hebt geen idee hoe het is om jouw beste vriendin te zijn. Om altijd maar je geklaag aan te moeten horen omdat je vriendje te weinig aandacht voor je heeft, dat je zoveel uit je hoofd moet leren voor je musicalhoofdrol, of dat je met je ouders op vakantie moet naar Ecuador.'

Ruth staarde me koud aan. 'Kun je je voorstellen hoe vervelend het is om altijd maar in jouw schaduw te moeten staan? Zo is het altijd geweest,' zei ze. Haar stem brak. 'En daar kan ik niet meer tegen.'

Ik begon te huilen; ik kon het niet helpen. Turtell stak zijn hand in zijn zak en haalde er een smoezelig papieren zakdoekje uit. 'Dank je,' zei ik terwijl ik mijn tranen afveegde met een schoon hoekje.

'Zijn we klaar?' vroeg Dell met een ongemakkelijk gezicht.

'Nog niet,' zei ik. Ik hernam mezelf. 'Bijna.' Ik snoot mijn neus en haalde diep adem. 'Wat ik vreemd vond, was dat de kraker wilde dat Jimmy en Liz uit elkaar zouden gaan. Waarom? Gisteravond begreep ik pas waarom.'

Ik keek naar Dell. 'Jij hebt een oogje op Liz, hè?' zei ik. Dells gezicht, dat net zijn bleke kleur weer had aangenomen, werd opnieuw rood. 'Jij zit met natuurkunde bij haar in de klas en hebt in maart haar computer gerepareerd. Tenminste, gedaan alsof. Je zorgde ervoor dat hij kuren bleef vertonen en dat ze steeds bij je terug moest komen. En omdat Ruth niet met computers overweg kan, had ze jouw hulp nodig om me te kraken. Dat kwam jou goed uit, want zo kon je Jimmy en Liz uit elkaar drijven, zodat je haar zelf kon versieren.'

Dell zei nog altijd niets. Hij staarde me onbeweeglijk aan, verveeld bijna.

'Maar wat ik het ergste vind, is dat je Glen erbij hebt betrokken. Jij had een kopie van de cijfercodes en stal spullen uit de kluisjes. Vervolgens deed je het voorkomen alsof Glen er iets mee te maken had, omdat je wist dat meneer Trent jou toch niet zou verdenken.'

'En nu?' zei Dell met een zelfvoldane glimlach. 'Wat maakt het uit dat ik jou heb gekraakt? En meneer Trent is een sukkel. Ik zou toch wel gek zijn als ik geen kopie van die kluisjescodes had gemaakt? Maar goed, dat kun je toch nooit bewijzen. Hopelijk vond je het leuk om speurneusje te spelen, want ik moet nu weg.'

'Nog even,' zei ik, en ik haalde mijn mobiel uit mijn zak. 'Heb je dat, Connor?' vroeg ik.

'Jazeker,' zei Connor aan de andere kant van de lijn. Hij klonk verbaasd. 'Jézus, Mad.'

'Ik weet het,' zei ik. 'Heb je het opgenomen voor meneer Trent?'

'Tot het laatste woord,' zei hij.

'Bedankt, Connor,' zei ik. 'Heel aardig van je.' Ik liet mijn telefoon in mijn broekzak glijden. Dell was nu lijkbleek en Ruth keek me met open mond aan. 'Sorry,' zei ik. 'Maar met dit soort gedrag kom je niet weg.'

'*Dude*,' zei Turtell terwijl hij me een *high five* gaf. 'Goed, man.'

'Wat moet hij hier trouwens?' snauwde Ruth.

'Glen heeft me geholpen,' zei ik. 'Hij heeft Dell meneer Trents kamer in en uit zien gaan en heeft genoeg afgeluisterd om te weten dat Dell de database met de codes nooit zou vernietigen en Glen daarvan de schuld wilde geven.'

'Zo is dat,' zei Turtell. 'Het spijt me dat ik het je gisteravond niet kon vertellen, maar ik werd... eh... afgeleid.'

'Geeft niet,' zei ik. 'Je hebt het me vanochtend toch verteld?'

'Ik moet ervandoor,' zei Turtell. 'Succes met... alles. O, en Kittson wil dat je haar straks belt.'

'Oké,' zei ik. 'Bedankt, Glen.'

Turtell liep over het grasveld naar de uitgang, maar in plaats van de poort te nemen, sprong hij over het lage stenen muurtje.

Ik wendde me weer tot Dell en Ruth, die stonden te ruziën.

'Je had me beloofd,' zei Dell boos, 'dat mij niks zou gebeuren. Straks kan ik mijn academische carrière wel verge...'

'Ik wist toch ook niet dat het zo zou lopen?' schreeuwde Ruth. Haar wangen gloeiden. 'Ik had nooit gedacht dat zij erachter zou komen.'

'Sorry dat ik jullie teleurgesteld heb,' zei ik.

'Ik ga,' zei Dell. Hij keek ons allebei woedend aan. 'Ik kan beter niks meer zeggen.'

'Tussen twee haakjes, het is weer aan tussen Liz en Jimmy,' zei ik voordat hij wegliep. 'Sorry. Maar ze hebben hun gezamenlijke Friendverse-profiel weer opgepakt en hun status is weer "bezet".'

Ik zag Dells gezicht even betrekken, maar toen keek hij weer uitdrukkingsloos voor zich uit. Vervolgens draaide hij zich om en beende het park uit.

Nu was het Ruth tegen mij. Doodmoe van al het geruzie, ging ik op het dichtstbijzijnde bankje zitten. Tot mijn verbazing kwam ze op het uiterste puntje van de bank zitten.

'Hoe wist je dat ik het was?' vroeg ze na een tijdje.

'Zo moeilijk was dat niet,' zei ik met een zucht. 'Je hebt het slim aangepakt. Maar er waren aanwijzingen. Jij stuurde me achter allerlei mensen aan die er niets mee te maken hadden. Je liet je pizza twee keer bij Dell thuis bezorgen in de Lower Cross Lane – ik heb op zijn adres gegoogeld – de eerste keer toen je me tijdens de vakantie kraakte, de tweede keer op vrijdagavond, toen ik dacht dat jullie twee plannen maakten voor het feest. Ik zag je met iemand met een zwarte trui met een capuchon in Stanwich Sandwich zitten... Dell dus. En je stond op het feest met Jimmy te praten, omdat je hem ervan wilde overtuigen dat het definitief uit was tussen Liz en hem, of niet soms? Intussen probeerde Dell Liz te versieren.'

'Ja,' zei Ruth. Ze klonk doodmoe. 'Klopt.'

'Maar gisteravond zei je iets waarmee je jezelf hebt verraden. Je noemde Nate "Jonathan". Zo had ik hem nog nooit genoemd, maar het was wel de naam in mijn tweede wachtwoord.'

'Ja,' zei ze. Ze liet zich achterover zakken tegen de leuning. 'Hoe is dat trouwens afgelopen?'

Uit gewoonte wilde ik haar het hele verhaal vertellen, totdat ik besefte dat ze mijn beste vriendin niet meer was. Als ze al langer zo negatief over me dacht, was ze waarschijnlijk al heel lang mijn beste vriendin niet meer. 'Daar wordt aan gewerkt,' zei ik ten slotte.

Ze glimlachte verdrietig en stond op. 'Ik ga ook maar eens,' zei ze. Ze was al even van slag als ik. Ik keek naar haar op en wist dat onze vriendschap voorbij was. Verbroken in het park. 'Spreek ik je later nog?' vroeg ze.

Ik kon niet antwoorden zoals ik gewend was. Het voelde gewoon niet goed. 'Ja,' zei ik droevig.

Ruth leek het te beseffen, en na een ogenblik knikte ze en liep met hangende schouders weg.

Volgens het klokje op mijn mobiel huilde ik zestien minuten lang. Totdat ik mezelf, met behulp van Turtells zakdoekje, hernam.

Ik moest nodig met een jongen praten. En een bericht verzenden.

25

Bulletin
Van: Madison
Aan: Al mijn vrienden
Verzonden: 13/4, 00.05u

Hoi allemaal. Zoals jullie inmiddels allemaal wel weten is mijn profiel afgelopen vakantie gekraakt. De krakers hebben een hoop schade aangericht. Niet alleen in mijn leven, maar ook in dat van mijn vrienden. Ik neem hiervoor de volle verantwoordelijkheid en bied iedereen die ik heb beledigd mijn excuses aan.

De krakers zijn vandaag ontmaskerd en ik hoop dat de zaak verder zal worden afgehandeld door het schoolbestuur. Maar als ik heel eerlijk ben, moet ik toegeven dat het mijn schuld is dat dit is gebeurd en daarvoor wil ik mijn excuses aanbieden.

Wat de krakers op mijn profiel over jullie hebben geschreven waren dingen die ik eerder achter jullie rug om heb gezegd. Dat had ik nooit mogen doen. Als ik het al had willen zeggen, had ik de moed en het fatsoen moeten kunnen opbrengen het tegen jullie zelf te zeggen.

Het spijt me dat ik over jullie heb gekletst en vind het heel vervelend dat ik jullie pijn heb gedaan.

Ik beloof dat ik voortaan geen geheimen meer zal doorvertellen. Ik zal niet meer achter jullie rug om over jullie praten, uit de school klappen over jullie slippertjes of grapjes maken over jullie eyeliner.

Jullie hoeven je geen zorgen meer te maken want mijn nieuwe wachtwoord is gecodeerd.

Ik hoop dat we weer vrienden zijn.

Liefs,
Mad

Toen ik dit bulletinbericht op mijn mobiel had getypt, drukte ik op VERZENDEN. Terwijl ik naar het e-mail-icoontje staarde, ontspande ik mijn pijnlijke duimen en stelde ik opgelucht vast dat het bericht eindelijk onderweg was naar de postvakjes van mijn vrienden op Friendverse. Ik hoopte dat we van nu af aan weer vooruit konden kijken.

Mijn mobiel ging en op het schermpje verscheen SCHUYLER W. Ik nam meteen op. 'Hoi, Shy,' zei ik.

'O, god, Mad!' riep Schuyler uit. 'Hoe is het met je? Ik heb het net van Connor gehoord. Niet te geloven, zeg! Ruth? Ik bedoel, Rúth? Ik sta paf!'

'Ik ook,' zei ik. Ik staarde naar de eenden in de vijver. 'Ik kon het eerst ook niet geloven. Maar het is wel gebeurd.'

'Mijn vriendin is ze niet meer, hoor,' zei Schuyler na een korte stilte. 'Ik bedoel, ze heeft iedereen over mijn neuscorrectie verteld.'

'Zeilongeluk,' verbeterde ik haar.

'O ja,' zei ze lachend. 'Maar ik snap er echt niks van! Ik bedoel, jullie zijn al vanaf de basisschool boezemvriendinnen!'

Ik glimlachte verdrietig. 'Helemaal waar, mijn beste Watson.'

Twintig minuten later stond ik met bonzend hart op het terras van IJssalon Gofer. In mijn ene hand had ik een bekertje hazelnootijs, in mijn andere een bekertje chocolade-muntijs.

Ik had Nate gebeld en hem gevraagd hierheen te komen.

Dat was moeilijker dan het lijkt, want toen ik hem wilde bellen, besefte ik dat ik zijn 06-nummer niet had. Bovendien had ik het nummer van zijn ouders niet opgeslagen in mijn mobiel. Vandaar dat ik eerst naar huis moest bellen en Travis moest overhalen het nummer van de familie Ellis door te geven dat mijn moeder op een briefje op de koelkast had gehangen. Vervolgens moest ik Nates ouders bellen en zijn moeder om zijn 06-nummer vragen. Ze reageerde nogal koeltjes – misschien had Nate laten doorschemeren dat hij mij met mijn exvriendje had zien zoenen – maar gaf me toch zijn nummer.

Toen ik Nate eindelijk aan de telefoon had, bonsde mijn hart zo hard dat ik amper kon praten. Hij zei dat hij boodschappen aan het doen was, maar dat hij het zou proberen. Toen hij vroeg waar ik wilde afspreken, was ik volledig de kluts kwijt en noemde ik de eerste de beste plek die me te binnen wilde schieten: Gofer.

Ik keek naar de bekertjes smeltend ijs in mijn handen en hoopte dat hij snel zou komen. Voor mijn gevoel kon ik er pas aan beginnen als hij er was. Maar misschien wilde hij niet eens horen wat ik te zeggen had. Logisch, want hij dacht dat ik had staan zoenen met mijn ex-vriendje terwijl hij me iets wilde vrágen.

Voor hetzelfde geld geloofde hij me niet. Misschien had hij ook wel helemaal geen oogje op me en verbeeldde ik me dat alleen maar. Misschien vond ik nooit mijn andere schildpadje en eindigde ik net als 'Eenzame George', de beroemde reuzenschildpad van de Galapagoseilanden die alleen over de stranden dwaalt.

Maar ik wilde dat hij de waarheid wist.

Terwijl ik met de rap smeltende ijsjes in mijn handen over het parkeerterrein keek, zag ik zijn rode pick-up aankomen.

Nate stopte, stapte uit en gooide het portier dicht. Ik hapte naar adem, zo goed zag hij eruit met zijn schoudertas, Cons-jeans en overhemd.

Boinkboinkboinkboinkboink deed mijn hart. Ik nam een bemoedigend hapje van mijn ijs terwijl Nate de trap op kwam en naast me tegen de balustrade kwam staan.

'Hoi, ik heb alvast voor je besteld,' zei ik, voordat ik het hazenpad zou kiezen, want hij zag er veel te leuk uit en ik vond het doodeng te moeten zeggen wat ik te zeggen had. Ik reikte hem het bekertje chocolade-muntijs aan. 'Ik weet niet of je hier zin in hebt, maar omdat je het vorige keer had besteld, dacht ik...' Ik wist dat ik niet zo moest ratelen, maar ik kon me niet inhouden.

'Lekker,' zei Nate. 'Bedankt.' Hij nam het bekertje van me aan, en een tijdlang aten we in stilte van ons ijs.

Ik had geen idee waar ik moest beginnen. Maar hoe langer ik bleef zwijgen, hoe meer het leek alsof ik hem alleen maar had uitgenodigd om samen een ijsje te eten.

'Oké,' zei ik uiteindelijk toen we ons ijs bijna op hadden. Ik gooide mijn bekertje weg, hoewel er nog een paar happen in zaten. Ik kreeg geen hap meer door mijn keel. Mijn maag keerde zich om en de vlinders die er tijdens de drive-in hadden rondgefladderd, hadden besloten terug te komen. 'Over gisteravond...'

Nate nam een laatste hap en gooide zijn beker toen ook weg. 'Maak je niet druk,' zei hij. 'Ik bedoel, we waren toch niet samen naar dat feest gegaan? Was die jongen je ex-vriendje?'

'Ja,' zei ik. 'Maar het is niet...'

'Ik zit er niet mee,' zei hij. Hij tuurde over de parkeerplaats. 'Echt niet. Ik bedoel, je wilde toch dat het weer goed kwam tussen jullie, of niet? Daar ben ik blij om. Ik ben blij... voor jou.'

'Nee!' zei ik. Ik hoopte tot in het diepst van mijn hart dat hij loog. 'Het ligt anders dan je denkt. Wat je gisteravond zag, bedoel ik.'

Nate schudde zijn hoofd. 'Je bedoelt dat ik je niet je ex-vriendje heb zien zoenen?' Tot mijn grote opluchting hoorde ik teleurstelling in zijn stem. Als het hem niets uitmaakte, zou hij toch zeker niet teleurgesteld zijn, of wel?

'Ja,' zei ik vastberaden, 'want dat heb je verkeerd gezien. Je zag mijn ex míj zoenen. Ik zoende hem niet terug... ik wilde het namelijk helemaal niet.'

Nate trok zijn wenkbrauwen op, maar zei niets. Hij leek te luisteren.

'Hij wilde weer verkering met me,' begon ik. Ik wilde dat Nate precies wist hoe de vork in de steel zat. 'Maar voor mij is hij nu niet meer dan een vriend. Ik heb tegen hem gezegd dat ik niet meer op die manier iets voor hem voel. Omdat er... eh... omdat ik iemand anders leuk vind.' Ik voelde het bloed naar mijn wangen stijgen en had het idee dat ik vuurrood werd. Nu had ik spijt dat ik mijn ijs had weggegooid, want ik had mijn gloeiende wangen graag afgekoeld aan het koude bekertje.

Nate keek me met een flauw, hoopvol glimlachje aan.

'Dus om een lang verhaal kort te maken...'

'Te laat,' maakten we tegelijk mijn zin af. Zijn glimlach werd breder.

'Eh... ik vroeg me af,' ging ik verder, 'of we niet nog een keer samen naar de film kunnen gaan. *Clue* draait komend weekend in de New Canaan drive-in, en ik heb gehoord dat dat een klassieker is.' Ik keek naar Nate voor zijn reactie, maar hij reageerde niet. Sterker nog, hij keek met een strakke blik naar zijn schoudertas, die naast zijn voeten op de grond stond.

O, god.

Stel dat ik het verkeerd had begrepen en dat hij geen oogje op me had? Stel dat dit de dérde keer deze week was dat ik werd afgewezen? Kennelijk was ik niet zo goed in het lezen van lichaamstaal. Ik voelde me ineens een enorme sukkel.

'Of niet natuurlijk,' zei ik snel. Mijn hart bonkte niet meer, het had het te druk met breken. 'Ik vind alles best. Ik bedoel, als je geen zin hebt. Ik bedoel... geen probleem. Even goede vrienden.'

'Madison,' zei Nate met dat verbazingwekkende glimlachje van hem terwijl hij zich vooroverboog om iets uit zijn schoudertas te pakken. 'Deze heb ik net laten afdrukken,' zei hij. Hij overhandigde me een foto-envelop. 'Alsjeblieft.'

Verbaasd nam ik de envelop aan, maakte hem open... en zag een foto van mezelf op het bovendek van de boot bij de Galapagoseilanden. Op de volgende foto zag ik mezelf glimlachen naar een zeeleeuw, en op die daarna hief ik mijn gezicht lachend op naar de zon. Er zat een prachtige foto bij van de neon Gofer-reclame tegen een donkere lucht; eentje van het bioscoopscherm van de drive-in, omgeven door vuurvliegjes; en nog een van mij waarop ik lachend naar een schildpad wijs. Ik keek op naar Nate.

'Foto's van mij?' vroeg ik verbaasd.

'Ik hoop dat je het niet erg vindt,' zei hij. 'Maar zoals ik al zei... ik heb een zwak voor mooie dingen.'

'O,' mompelde ik. Meer niet, want ik wilde het mooiste moment van mijn leven niet verpesten.

Hij pakte de foto's uit mijn handen. 'Toen ik je voor het eerst op de boot zag, was ik meteen verkocht,' zei hij. 'Ook al kon jij mijn naam niet onthouden. Dus ja, Madison, ik ga graag met je mee. Dat wilde ik je gisteravond ook al vragen. Zeg maar wanneer.'

'O,' zei ik weer. Mijn hart ging als een razende tekeer. 'Oké.' Ik glimlachte naar hem en straalde zo dat mijn wangen er pijn van deden.

'Oké?' herhaalde hij met een al even brede glimlach.

Ik lachte. 'Dacht het wel.'

En toen deed hij een stap naar me toe, streek een haarlok achter mijn oor, legde zijn hand op mijn wang, boog zich voorover en kuste me.

Zijn lippen streken eerst heel zacht over de mijne, totdat het niet meer zomaar een kus was, maar een kús.

Wauw.

Ik snap niet hoe ik had kunnen denken dat Justin goed kon zoenen. Nate zoende zo lekker dat het met niets te vergelijken was, en we zoenden en zoenden... zalig gewoon. Ik was blij dat ik net ijs had gehad, want nu hoefde ik me geen zorgen te maken over mijn adem, en blij dat we het weekend samen naar de film zouden gaan en... OMG, wat kon hij zoenen.

Al zoenend drukten we ons nog dichter tegen elkaar aan, en terwijl hij zijn handen door mijn haar woelde, vroeg ik me af of ik hem zou durven vragen of hij met me mee naar het schoolfeest wilde en of Stanwich ook een schoolfeest zou geven, en dat we dus misschien wel twee...

Totdat ik besefte dat daar nog tijd genoeg voor was.

Ik wist dat ik hem meteen op nummer één van mijn Top 8 zou zetten zodra ik thuis was.

Maar op dit moment, en in de nabije toekomst, wilde ik alleen nog maar met hem zoenen.

friendverse... for your galaxy of friends

Madison
gaat shoppen voor het schoolbal
(schoenen)

Vrouw
16 jaar oud
Putnam, Connecticut
Verenigde Staten

Status: Bezet
door Nate

Lied: *Found my rosebud* – The
Thrills
Quote: 'Sluit alle factoren uit. Dat
wat overblijft moet dan wel de
waarheid zijn.' – Sherlock Holmes

Laatst ingelogd: 21/4

Top 8:

Nate

Shy+Connor

Bonjour, Lisse
La Feldman

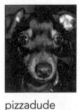

pizzadude

Kittlen

Jimmy&Liz

ginger_snap

Brian
(huisarrest)
McMahon

Madisons blogberichten

Hoteldebotel

Vrijwilligers gezocht voor het schoolbal! Ik zweer dat het niets te maken heeft met de Titanic!

Koop kaartjes voor *De Grote Deen...* verkoop in het studiecentrum

Scrabble is supersaai

Mijn broer is niet zo erg als ik dacht

Info over mezelf

Ik zal het eerlijk zeggen als je iets tussen je tanden hebt. Recht in je gezicht, niet achter je rug om. Doe dat ajb ook bij mij.

Algemeen:
Toneel, reizen, misdaadverhalen, de schuldigen laten boeten, ananaspizza

Muziek:
Op het moment power ballads voor de deejay van het schoolbal

Films:
Alles in de drive-in

Televisieprogramma's:
Op het moment verslaafd aan *The Hills* (Kittson, bedankt!)

Boeken:
P.G. Wodehouse, Agatha Christie, Arthur Conan Doyle, eindexamenboeken

School: Middelbare school
Geslaagd: Volgend jaar...

Reacties
Weergegeven: 11 van 87

Shy+Connor
Mad! Rijden Nate en jij in onze limo? We moeten vanavond echt weten hoeveel mensen er met ons meerijden! Straks samen koffiedrinken?

La Feldman
Ik ga alleen met de limo als Shy belooft zich netjes te gedragen. Connor en zij slaan door. *Non?*

pizzadude
Mad, goed nieuws – Big Tony is door zijn rug gegaan! Ik zie spoedig een ananaspizza jouw kant op komen...

Kittlen
Madison, wil je me helpen met het maken van de programmaboekjes? Glen kan niet zo goed met de eyelets overweg. En vergeet vanavond niet de glit-

ter mee te nemen naar de vergadering. Wist je trouwens al dat mijn moeder Olivia en Travis zoenend heeft betrapt?!

theatergrrl
Laten we morgen de tekst nog een keer in zijn geheel doornemen. Heb je tijd?

ginger_snap
Bedankt voor de lift gisteravond, Mad! Ik moet nodig van die O'Doul's af!

Brian (huisarrest) McMahon
Ik vond het super dat Nate en jij er gisteravond waren! Ik hoop spoedig een keer de deur uit te mogen...

RueRue
Ik heb gehoord dat Dell het redelijk naar zijn zin heeft op kostschool, hoewel het gerucht gaat dat hij een goksite heeft opgezet. Ik ben blij dat ik weer naar school mag. Ook al was ik maar twee weken geschorst, het voelde veel langer. Hopelijk is alles goed met je.

Jimmy&Liz
Hé, Mad, hoest? Willen jullie dit weekend met ons dubbelen?

Jimmy&Liz
Dit was een voorstel van ons beiden. ☺

Nate
Ik ben helemaal weg van mijn schildpadje en wil je in levenden lijve bedanken. Zie ik je over twintig minuten in Gofer? Ik trakteer.

Madison is uitgelogd
21/4 15.45u